Linda Boström Knausgård (Zweden, 1972) debuteerde in 1998 met de dichtbundel *Gör mig behaglig för såret* ('Maak me behaaglijk voor de wond'). Haar doorbraak kwam in 2011 met de bundel *Grand Mal* (2011), twintig intense, donkere korte verhalen over hallucinaties en epilepsie, met steeds vrouwen als hoofdpersoon. *De val van de Helios*, haar debuutroman, won de Mare Kandre Prijs en stond op de shortlist van de Zweedse Radio Roman Prijs 2014. Boström Knausgård is getrouwd met Karl Ove Knausgård.

Linda Boström Knausgård

De val van de Helios

Vertaald uit het Zweeds door
Maydo van Marwijk Kooy

World Editions

Deze uitgave is mede mogelijk gemaakt dankzij een bijdrage van
de Zweedse Cultuurraad te Stockholm

•

De vertaalster ontving voor deze vertaling een werkbeurs van
het Nederlands Letterenfonds

N ederlands
letterenfonds
dutch foundation
for literature

Oorspronkelijke titel *Helioskatastrofen*, verschenen bij Modernista
Oorspronkelijke tekst © Linda Boström Knausgård, 2013
Nederlandse vertaling © Maydo van Marwijk Kooy en
World Editions BV, Breda 2014
Omslagontwerp Multitude
Omslagillustratie © Vilma Pimenoff/Millennium Images/
Hollandse Hoogte
ISBN 978 94 6237 049 4
NUR 302

•

EERSTE DEEL

IK WORD GEBOREN uit een vader. Ik splijt zijn hoofd. Een ogenblik zo lang als het leven zelf staan wij tegenover elkaar en zien elkaar in de ogen. Jij bent mijn vader, zeg ik hem met mijn ogen. Mijn vader. Het is mijn vader die in het bloed op de grond tegenover mij staat. Zijn wollen sokken zuigen het gulzig op en kleuren rood. Het bloed trekt in de kaalgesleten houten vloer en ik denk: zijn ogen zijn even groen als de mijne.

Hoe ik dat bij mijn geboorte kan weten? Dat mijn ogen zo groen zijn als de zee?

Hij kijkt naar mij. Naar mijn glanzende wapenrusting. Hij tilt zijn hand op. Beroert mijn kin. En ik til mijn hand op en leg die om de zijne. Leun tegen hem aan. Zijn armen omsluiten mij. Wij huilen samen. Warme, zoute tranen en slijm lopen over mijn gezicht. Ik wil niets anders dan daar staan met mijn vader en zijn warmte voelen en zijn hart horen slaan. Ik heb een vader. Ik ben mijn vaders dochter. Op dat moment klinken die woorden in mij als klokken.

Dan schreeuwt hij.

De schreeuw verscheurt alles. Ik zal nooit meer dicht bij hem zijn. Nooit meer met mijn hoofd tegen zijn borst rusten. We hebben elkaar net ontmoet en moeten meteen al afscheid nemen. Hij kon mij alleen het leven schenken. De schreeuw perst mijn lippen samen, die hem toe willen roepen dat hij moet ophouden. Je maakt me bang, groeit in mijn mond. Mijn slapen doen pijn. In mijn borst verandert alle liefde in woede.

O, wat schreeuwt hij, denk ik en ik zou mijn lans in zijn hart

9

willen steken om er een einde aan te maken. Ik ben bang. Nog maar een kind.

Hij houdt niet op met schreeuwen. Hij houdt zijn hoofd vast. Drukt met zijn sterke handen alsof hij wil sluiten wat is opengegaan.

Ik trek mijn harnas uit en verstop mijn lans onder de zitting van de keukenbank. Mijn helm houd ik op als ik voor het eerst de wereld in ga. Ik ben twaalf jaar als ik opduik in het dorp in het noorden.

Ik loop met blote voeten in de sneeuw. Ik kom niet ver. Een naakt meisje met een gouden helm op haar hoofd. Bovendien hebben veel mensen de ambulance gezien die mijn vader heeft opgehaald, nadat de buren waren komen aanrennen om te kijken wat er aan de hand was. Zijn schreeuw droeg ver. En de buren die mij in mijn harnas op de vloer van mijn vaders keuken hadden gezien, begrepen het niet. Had hij mij verborgen gehouden? Wie was ik? Een kind dat niemand had gezien. Waar waren mijn ouders?

Het was chaotisch. Wat moest ik zeggen?

'Ik heet Greta', zei de buurvrouw. 'Wie ben jij?'

Ik gaf geen antwoord. Plotseling voelde mijn tong groot en vormeloos, dik en onhandig.

'Je moet iets aantrekken.'

Ze deed haar dikke donsjas uit en legde die om me heen. Nam mij voorzichtig maar beslist bij de arm en leidde me naar haar huis, dat aan dezelfde straat lag als dat van mijn vader. Naar de huiselijke warmte, zoals ze dat blijkbaar noemen, in de keuken waar ze mij op een stoel zette.

Wat moest ik nu doen? De gedachten verdrongen elkaar in mijn hoofd en ik verlangde naar de ogen van mijn vader. In plaats daarvan kreeg ik warme melk met honing en kaneel en kleren.

'Ik help je wel', zei ze toen ze me naar de kleren zag staren.

'Meiske. Hier is een onderbroek, kijk, zo ja. Eerst je ene voet en dan de andere. Goed zo. Lange onderbroek. Die is van wol, zodat je het niet koud krijgt. Het is koud hier in het noorden. Meer dan twintig graden onder nul. Dan het hemd. Je mag deze kleren hebben. Ze zijn mij toch te klein.' Ze kleedde me van top tot teen aan. Lange broek en trui en alles. Ik kreeg ook een jack en een muts en wanten. Ik dacht aan mijn wapenrusting en de keukenbank en wilde erheen.

'Nu moet je zeggen wie je bent', zei Greta toen de melkbeker was leeggedronken en de boterham met rendiervlees opgegeten. Rendiervlees, herhaalde ik, en ik borg het woord in mijn geheugen op. Die smaak van zout en bloed.

'Ik wil naar mijn vader', zei ik.

'Lief kind, Conrad heeft geen kinderen.'

'Hij heeft mij', zei ik terwijl ik van mijn stoel opstond.

Greta keek me ernstig aan.

'Heeft hij naar tegen je gedaan? Conrad is een beetje vreemd.'

'Nee.'

Waarom zou een vader naar doen tegen zijn kind? Zijn eigen kind?

'Heeft hij je verborgen gehouden?'

Greta was aardig. Dat begreep ik wel, ook al had ik het liefst de stoel waarop ik zat en het hele huis kapotgeslagen om wat ze over mijn vader zei. Ze weet niet beter, die gedachte maakte me rustig en ik begreep twee dingen: dat niemand ooit zou begrijpen hoe ik in Conrads keuken terecht was gekomen en dat ik daarom de rest van mijn leven alleen zou zijn.

Greta reed mij naar Bureau Jeugdzorg in de stad. Ze had opgebeld en ik had een paar woorden gehoord: meisje. Conrad. Ik weet niet wat ik moet doen. Ik kan het meisje hier niet houden. En daarna: als ik niet beter wist, zou ik denken dat er een wonder is gebeurd. Wonder. Dat woord bleef hangen en ik wist niet wat ik ermee moest en daarom keek ik naar Greta om ervoor te zorgen dat er niet nog meer woorden uit haar zouden komen.

Mijn vader was schreeuwend en met acute schizofrenie naar het psychiatrisch ziekenhuis in Skellefteå gebracht, waar ze geen aandacht besteedden aan zijn verhaal en zijn hoofdpijn met zulke sterke medicijnen bestreden dat hij zelf ging twijfelen aan wat er werkelijk was gebeurd. Maar dat wist ik nog niet, nu ik in Greta's auto naar al het wit zat te kijken. Ik dacht nog dat ik in het huis met de vuile vloerkleden en ongewassen ramen zou gaan wonen. Dat Conrad terug zou komen en wij vader en dochter zouden zijn zoals was bepaald op het ogenblik dat alles nog goed was tussen ons.

Sneeuw. Sneeuw. Ik leerde het woord meteen. Begreep dat het belangrijk was. Op de weg en Greta na was dat het enige wat ik zag.

'De rendieren hebben het moeilijk dit jaar. De Samen moeten steeds verder naar het zuiden om voedsel te vinden, maar de sneeuwgrens ligt helemaal in Stockholm. En het is pas herfst. Stel je voor. Zo veel sneeuw, en het is pas oktober.'

Oktober, dacht ik. Rendieren. Samen, dacht ik terwijl ik buiten in het landschap een stroom water zag oprijzen.

'De rivier', zei Greta. 'Weet je waar ik het over heb?'

Ik schudde mijn hoofd. Rivier. Rivier.

'Over een uurtje zijn we in de stad. Ze gaan dingen aan je vragen. Begrijp je dat?'

Ik keek door het raampje. Het water kolkte alsof het speelde. Het sprong en draaide. Ik leunde met mijn voorhoofd tegen de ruit en het was alsof de rivier zong.

De helm lag naast mij op de achterbank. Ik streek erover met mijn hand, het feit dat hij er lag maakte me rustig.

'De mensen zullen erover praten. Een naakt meisje in Conrads huis.'

'Hij is mijn vader. De rest weet ik niet', zei ik.

'Nee', zei Greta en ze concentreerde zich op de weg.

Terwijl ik uitkeek over de sneeuw die op takken, weiden en akkers lag, had ik pijn op mijn borst. Het is verdriet, zei ik tegen de sneeuw. Dat wat pijn doet en mij aan het huilen maakt. Wat moet ik doen? Ik weet niets van mijn toekomst. Wie ben ik? vroeg ik aan de sneeuw.

De stad kwam dichterbij. Houten huizen met meerdere verdiepingen. De mensen die op straat liepen, staken als een soort zwarte vogels tegen al het witte af. Ze kwamen samen en gleden weer uit elkaar. Ze weten niets, dacht ik en daarna:

hoor ik hier thuis? Tussen hen? Wij hadden niets met elkaar gemeen. Dat zag je aan hoe ze zich voorthaastten. Dat we elkaar niet zouden leren kennen. Ik sloot mijn ogen en dacht aan die van Conrad. Zijn rustige ogen die mij aankeken.

Ik werd in een pleeggezin geplaatst. Het gezin waar ik naartoe ging, had altijd een meisje willen hebben. Ze hadden al twee jongens.

De maatschappelijk werkster, die niet veel voorstelde, heette Birgit. We konden ook niet veel tegen elkaar zeggen, want ze rookte de hele tijd. De kamer, met de telefoon en de agenda met jamrecepten waar ze steeds in bladerde, stond vol rook.

'Het is een moeilijke situatie, maar er is altijd een oplossing.'

Ze klonk net als Greta en blijkbaar was dat hoe ze hier in het noorden klonken. Wat ze gemeen hadden. Terwijl ze rook uitblies, zei ze dat Birgitta en Sven de beste oplossing waren. Lieve mensen. Ze hadden altijd al een meisje willen hebben en hierbij lachte ze me uitnodigend toe, alsof ze een glimlach terug wilde nu ze zo hard haar best voor me deed.

Ik lachte niet. Ik praatte niet. Ik had mijn vaders naam niet genoemd want die kon ik niet uitspreken in deze lelijke kamer met dat schilderij en dat bureau en die vrouw.

Toen ze vroeg wat ik ervan vond, moest ik hoesten door de rook.

'Wat vind je ervan?' zei ze.

'Prima mensen. Gewone, goede mensen. Actief voor de gemeenschap. Sporten veel. Dat soort dingen zijn belangrijk als je met zo weinig bent. Dat je meedoet.

Dat begrijp je toch wel?'

'Ik wil liever bij Greta wonen', zei ik ten slotte.

Hoewel dat niet de waarheid was. Ik wilde naar mijn vader. Mijn wapenrusting ophalen en hem bevrijden. Er was geen andere mogelijkheid, of ik het nu wilde of niet.

'Greta wil je niet hebben. Maar ik moet wel weten', hoestte ze, 'hoe je hier bent gekomen.

Vertel het maar. Het is goed om het te vertellen.' Ze zweeg even en ademde rook in en uit. 'Ook al is het nog zo verschrikkelijk. Daarna voel je je beter.'

Alles werd stil. Ik keek naar het witte buiten. Ieder woord dat ze zei was als een slag. Zo veel woorden voor niets, dacht ik. Ik bedacht dat de sneeuw mooi was. Al dat wit. Ik bedacht dat ik dat kon zeggen. Op proef.

'De sneeuw is mooi.'

De maatschappelijk werkster reageerde er niet op. In plaats daarvan zei ze dat ze mensen hielp die in een moeilijke situatie zaten en hulp nodig hadden.

'Waar is hij?' vroeg ik. 'Waar is mijn vader?'

Ze nam een paar trekjes van haar sigaret, leek een hele tijd na te denken. Ze streek met haar pink over de onderlegger op haar bureau.

'Je moet een naam hebben.'

Ze stond op zodat haar rok opzwaaide en zich om haar benen draaide terwijl ze naar de boekenkast met ordners en brochures liep. Ze pakte een ordner met een rode rug, ging weer zitten en keek me aan.

'Je ziet eruit als een Anna', zei ze. 'Anna Bergström. Dat klinkt mooi', zei ze terwijl ze me aankeek.

Haar blik bleef op mij rusten, dus ik keek weer naar buiten, naar alle sneeuw die op mij leek te liggen wachten. Zo voelde het. Alsof die op mij wachtte.

Ik werd in een gezin geplaatst. Ik mocht blij zijn, zei de maatschappelijk werkster. Ik mocht blij zijn, zei Greta later in de wachtkamer.

'Je had geen beter gezin kunnen treffen. Een gezin als een kleine roedel, die samenblijft en van elkaar houdt', zei Greta. 'Ik zal je een woordenboek geven. Kun je lezen?'

Lezen. Roedel.

Ik wist dat ik terug moest naar mijn vader. Dat was het enige wat ik wist. Ik moest de plek vinden waar hij was en hem naar huis brengen. Als hij niet uit zichzelf meeging, kon ik hem met rendiervlees lokken, dacht ik.

Ik moest hier wachten tot ze me kwamen ophalen. Er was al contact met hen opgenomen. Ze waren blij, ook al hadden ze liever een jonger meisje gehad. Birgitta borduurde voor de kerstmarkt. De vader, Sven, ik voelde een steek toen ze het woord 'vader' zei, was tekenleraar, een belangrijke figuur in het dorp.

Ik huilde. Warme en koude tranen. De warme vanwege mijn vader, die ik nooit meer zou zien. Was dat zo? Was dat waar? Ik groef in mijn innerlijk en stelde de vraag opnieuw: zou ik hem nooit terugzien?

De koude tranen omdat er ondanks alles voor me gezorgd zou worden. Voor het dorp en de kerstmarkt. De belofte van avondeten en de twee jongens die ze hadden. Zouden we elkaar aardig vinden?

Ik begreep dat ik moest groeien. Groeien voordat ik mijn

16

vader in het ziekenhuis mocht opzoeken.

'Wil je nog eens proberen te vertellen waar je vandaan komt?' zei de vrouw die vertrouwelijk probeerde te kijken.

'Dat weet ik niet', zei ik.

Greta zat te wachten. Ze was echt lief. Als ze op tijd weg was gegaan, zoals ze van plan was geweest, was ze nu thuis geweest.

'Ga even je gezicht wassen op de wc', zei ze.

Ik ging naar een klein kamertje waar ik naar de spiegel werd getrokken. Mijn gezicht was niet vreemd zoals al het andere. Ik liet de kraan lopen en waste mijn tranen weg. Liet het warme water een hele tijd over mijn handen lopen en de warmte die zich in mij verspreidde, voelde goed, waardoor ik begreep dat ik het koud had gehad. Ik wilde het niet laten ophouden en ten slotte klopte Greta op de deur en ging ik naar buiten. Verliet de kamer met de vloer met rode en grijze spikkels. Ik sloeg de deur zo hard dicht dat het echode.

'Ben je boos?' vroeg Greta.

Ik ging op de bank zitten.

'Ik heet Anna', zei ik.

'Anna is een mooie naam. Hij past bij je.'

'Kun je niet gewoon weggaan?' zei ik terwijl ik haar aankeek. 'We zijn klaar. Er is hier verder niets.'

'Ja', zei ze terwijl ze naar haar jas reikte. 'Dag, lief kind, ik weet zeker dat je het goed zult krijgen.'

'Is dit de hel?' vroeg ik haar opeens.

Ik weet niet waar het vandaan kwam.

Ze werd bang, dat zag ik. Maakte ik haar bang? Maar ik wilde antwoord, dus ik schudde aan haar arm.

Ze trok haar arm weg.

'Nee', zei ze. 'Dit is niet de hel.'

Ze kwamen me bij Bureau Jeugdzorg ophalen. De vader en de moeder en hun zonen Urban en Ulf. Ik durfde hen niet aan te kijken, want ik was bang dat ze in mijn ogen zouden zien dat ik niet bij hen zou blijven. Dat ze mij niet echt kregen, zoals ze dachten. Ik zat op de rode bank naar mijn handen te kijken. Ik wist niet wat ik ermee aan moest, dus ik keek maar. Misschien hoorde dat zo, bedacht ik. Er zat nog bloed aan, hoewel ik ze had gewassen. Ik rook aan de restjes opgedroogd en donkerrood bloed in de lijnen van mijn handen, en de enigszins branderige lucht maakte me rustig.

Ik werd overmand door een gevoel van totale uitputting. Ik viel om, omlaag in een moeheid die zwarte en rode randen had. Ik realiseerde me dat ze mij als een kind naar hun auto droegen, die buiten op ons stond te wachten. Als van heel ver weg voelde ik hoe Birgitta en Sven mij op de achterbank over de knieën van Urban en Ulf legden.

Ik sliep drie dagen en drie nachten. Toen ik wakker werd, lag ik in een bed en naast mij zat Ulf, die met zijn gezicht lachte, of met zijn mond en ogen lachte en mij vertelde over de dokter die was geweest en terwijl ik sliep van alles had gecontroleerd, en daarna zei hij twee dingen: dat ik een prachtexemplaar was en dat ik bij hem in de buurt moest blijven.

'Want jij kunt niks en ik kan alles. Urban kan ook veel, hij is echt een denker, maar hij is stiller en zo, en ik heb een zus nodig die me kan helpen. Want ik heb van alles te doen.'

'Zoals wat?' vroeg ik.

'Daar hebben we het later over. Daar hebben we het allemaal later over. Vergeet niet dat je niets kunt.'

Ik dacht aan de sneeuw en merkte dat ik boos werd.

'Kun je me meenemen naar het huis waar mijn vader is?'

'Dat is allemaal makkelijk', zei Ulf. 'Mij moet je helpen met echt moeilijke dingen.'

Ik viel weer in slaap. Ik zag de slaap aankomen en het was alsof groene vingers mijn hoofd binnendrongen en verder mijn lichaam in. Ik kon me niet verroeren. Ik zonk door de matras en lag een hele tijd onder het bed naar de lattenbodem en de stofnesten te kijken, voor ik weer omhoogkwam en naar het plafond zweefde. Ik keek neer op Ulf, die nog steeds naast me zat. Ik bekeek mezelf met gesloten ogen en probeerde af te dalen naar waar ik lag. Want ik zag best dat ik daar lag. Het groene trok mij omlaag en ik gleed neer in mezelf zoals je in zee duikt.

'IK BELOOF DAT ik mijn best zal doen om de doelstellingen van de IOGT-geheelonthoudersbeweging te bevorderen zoals die zijn vastgelegd in het statuut van de vereniging. Daarmee beloof ik nuchter te leven en af te zien van dranken met meer dan 2,5 procent alcohol, en geen narcotica of andere bedwelmende middelen te gebruiken.'

Alle leden van de vereniging mompelden de gelofte mee. De geheelonthouders waren talrijk in het dorp en ze kwamen zelfs uit de stad en de andere dorpen toestromen. Helemaal vooraan op het houtkleurige spreekgestoelte stond papa Sven. Hij keek uit over de hoofden van de IOGT-leden, die die zaterdagavond bijeen waren gekomen om zich uit te spreken voor geheelonthouding en de voordelen daarvan. Ik had mezelf aangewend papa te zeggen tegen Sven, omdat ik het woord 'vader' als een geheim had weggeborgen. Ik zorgde samen met Birgitta en de jongens voor de koffie. Birgitta had de hele dag kaneelbroodjes gebakken en Ulf, Urban en ik gingen in het dorp de huizen langs. Het is tijd voor de geheelonthouders, zei Ulf terwijl Urban achter ons stond te kijken met die blik van hem. Die maakte dat je hem meteen ter wille wou zijn. Voor mij was het nog wat onwennig en ik bleef een stukje achter hen op straat in de sneeuw staan, maar ze wilden toch dat ik meeging.

'Met een meisje is het overtuigender', zei Ulf, die meestal het woord deed.

Hij praatte makkelijk en kon zijn ogen en woorden laten schitteren terwijl hij toch heel beslist was.

Wij gingen de deuren langs voor de IOGT en de kinderen van de dominee gingen in dezelfde straat de deuren langs voor de Pinkstergemeente. De meeste mensen waren lid van allebei. Als je noch in geheelonthouding noch in God geloofde, sportte je. Ik had op het spoor in het bos leren langlaufen, wat me het gevoel gaf dat ik vloog. Het was echt alsof ik vloog. De sneeuw, de ski's en de wax, en dan op naar het spoor. Je zou kunnen zeggen dat ik voor mijn ski's leefde. Dat het mijn beste vrienden waren, dat we bij elkaar hoorden en dat vanzelfsprekend was. Het was niet iets wat ik moest leren, zoals de gelofte van nuchterheid die ik op dit moment meeprevelde zonder haar te begrijpen, terwijl ik zo geluidloos mogelijk plastic bekers neerzette op de lange tafel met de papieren loper.

Ergens was mijn vader. Daar leefde en ademde hij. Dacht hij ooit aan mij, zijn dochter? Verlangde hij naar mij?

'Ulf', zei ik zo zachtjes als ik kon, maar zonder te fluisteren. 'Ken jij Conrad?'

'Nee', zei hij. 'Maar ik ken mensen die meer weten.

Binnenkort zal ik je iets belangrijks vertellen', zei hij. 'Het heeft te maken met wat wij tweeën moeten doen. Jij en ik. Alleen wij met zijn tweeën.'

'Als jij me met Conrad helpt', zei ik. 'Dan doe ik wat je wilt. Maar het moet in die volgorde', zei ik.

'De volgorde maakt mij niet uit. Ik heb geduld', zei Ulf terwijl hij de thermosfles met pomp op tafel zette.

'Je weet dat ik 's nachts weleens wegga met de auto.'

Dat wist ik. Sven verstopte de autosleutels onder zijn kussen, maar hij sliep zo diep dat dat niets uitmaakte. Ulf tilde het kussen gewoon op en dan duurde het niet lang of de auto was gestart. Waar hij naartoe reed wist ik niet. Maar na een paar uur kwam de auto terug. Ik hoorde het als hij remde. Hij deed niet zijn best om niet gehoord te worden, deed niet zachtjes of zo, hij liet de remmen knarsen en ik bedacht dat hij waarschijnlijk te hard kwam aanrijden.

Ulf legde de autosleutels terug en ging naar bed. Het enige was dat hij 's ochtends wel erg moeilijk wakker te krijgen was.

'Ik ken mensen die meer weten', zei hij weer. 'Jij kent Greta en aan haar kunnen we niets vragen, maar misschien wel aan Rolf in het volgende dorp', zei Ulf terwijl hij de kaneelbroodjes in de mandjes legde.

Niemand praatte met mij, behalve mijn familie. Vooral Birgitta vond dat verdrietig. En ze was waarschijnlijk ook teleurgesteld. Ze had een eigen dochtertje willen hebben dat net zo zou worden als zij. Dat op haar leek en na het eten naast haar op de bank kwam zitten borduren, of gewoon praten. Ik praatte niet, of bijna niet, hoewel ik alle woorden kende en nu ook klonk als alle anderen.

Ik probeerde wel met een kop thee naast haar op de ronde leren bank te zitten en mijn best te doen. Ik at enthousiast van de koekjes: amandelkoekjes, jamkoekjes, zandkoekjes. De kruimels bleven in mijn mondhoeken hangen en zij veegde ze vaak met een servet weg terwijl ze me vroeg een beetje netjes te zijn.

'Wees een beetje netjes', kon ze dan zeggen. 'We hebben maar één leven en daar moeten we het mee doen. Eigenlijk zou je iedere dag je haar moeten borstelen en douchen. Dat is belangrijk. Net zo belangrijk als al het andere.'

'Wat is al het andere?' vroeg ik.

'Dat is het gevoelsleven. Datgene wat er binnen in je gebeurt als je in de buitenwereld bent.'

'Zoals wanneer er onder het skiën herinneringen naar boven komen?' vroeg ik.

'Welke herinneringen?' vroeg ze. 'Wat herinner je je?'

Hier moest ik goed opletten. Welke herinnering kon ik haar geven zonder dat ze zou schrikken?

'Zoals de herinnering aan mijn vader', probeerde ik, hoewel ik wist dat dat de verkeerde herinnering was.

'Ja, die herinnering is alleen van jou', zei ze. 'Die herinnering kunnen we nooit begrijpen. Je moet nog meer herinneringen verzamelen. De herinneringen van hier. Denk bijvoorbeeld aan je kamer. Aan wat daar is.'

Ik deed wat ze zei. Verplaatste me in gedachten naar de kamer en de gebloemde dekbedhoes en het bruine rolgordijn, het nachtkastje van lichtgekleurd hout dat Sven voor me getimmerd had. Het leek op een echte kleine kast met een deurtje en een knop, waarachter het boek lag dat ik 's avonds las voor ik ging slapen. Het boek over God dat ik van Bureau Jeugdzorg had gekregen, als een soort afscheidscadeau.

'Je weet dat je een mooi meisje bent. En schoonheid geeft bepaalde privileges.' Privileges? dacht ik terwijl ik het woord in één hap doorslikte.

'Ja, voordelen. Mensen vinden je snel aardig. Ook al moet je wel een beetje je best doen.'

Je best doen, dacht ik terwijl ik mijn mond met mijn servet afveegde.

Ik begreep dat dit gesprek belangrijk was voor Birgitta. Ze wilde me leren kennen. Maar ik wist niet hoe dat in zijn werk ging. Wilde dat ook niet weten.

Ik liep eindeloos door het huis. Alles was van licht hout: de keukenkastjes, de bedden, de trap omlaag naar de slaapkamers en de tafeltennisruimte. De jongens hadden overal stickers geplakt: 'Wij padvinders hebben geen bier nodig' of 'Wij skiërs hebben geen bier nodig'. Ik had ook een sticker, hij zat op het hoofdeinde van mijn bed. 'Wij turners hebben geen bier nodig' en ik had het gevoel dat de jongens die sticker speciaal voor mij hadden uitgezocht. Ik moest gaan turnen, leek de sticker te zeggen.

Het huis was tegen een helling gebouwd, aan de straatkant was er één verdieping, maar aan de achterkant waren er twee. Dat noemde je een souterrain, had Sven verteld. Sven had het huis helemaal zelf gebouwd. Uit de manier waarop hij over het huis praatte, begreep ik dat het bouwen ervan de belangrijkste gebeurtenis van zijn leven was en ik bedacht hoe dat kon verschillen, wat de belangrijkste gebeurtenis was. Achter de helling lagen de velden met de schapen en daarna was er niets meer tot aan de rivier daar beneden, die in het voorjaar overstroomde. Dat had Urban verteld en dat was waar hij meestal was, bij de rivier, en hij vertelde over de zomers waarin de rivier droogviel en je soms wekenlang de droge bodem kon zien.

Soms mocht ik mee. Dan liepen we zwijgend naast elkaar, Urban droeg de hengels en ik de plastic tas met de thermosfles met koffie. Urban was vijftien en dronk al koffie en hij vond dat ik dat ook moest leren, dus als we pauze hielden, nam ik kleine slokjes uit een plastic beker. Ik hield meer van de geur dan van de smaak, maar ik hield erg van het warme gevoel, dus nam ik snelle slokjes die mijn mond brandden en mijn tong en verhemelte verdoofden en zo was de smaak niet zo sterk. Urban leerde mij werpen. Soms visten we met vliegen, maar het gebeurde ook dat we levend aas hadden. Urban stond achter mij zodat we samen de hengel vasthielden, die met ons door de lucht danste voor de vlieg het wateropper-vlak raakte. Ik hield ervan om zo dicht bij Urban te staan dat ik tegen hem en zijn eindeloze geduld kon aanleunen. Keer op keer liet hij me zien hoe de lijn moest dansen. Hij voelde wel dat ik me tegen hem aan drukte, maar hij liet het nooit mer-ken. Misschien vond hij het wel net zo prettig als ik, of liet me gewoon begaan.

Het water glinsterde en de stroom was sterk. We liepen langzaam met de hengels in de hand langs de waterkant. Volg-den de stroom terwijl we urenlang niets zeiden.

Hij rookte ook sigaretten bij de koffie. Hij haalde een pakje uit zijn zak en stak er een op. Ik keek naar hem, ik was nogal verbaasd want ik dacht aan de gelofte van geheelonthouding en al het andere dat je niet mocht doen. Ik durfde er niet naar te vragen, maar hij moet die eerste keer dat het gebeurde mijn blik hebben gezien, want hij zei: 'Dit is om na te kunnen den-ken. En dat met genotsmiddelen,' zei hij later, 'dat heeft Sven verkeerd begrepen. Er gaat niets boven genotsmiddelen. Je moet ze alleen niet te vaak gebruiken en je moet er goed over nadenken wanneer. En het is duur om dronken te worden. Je moet zeker weten dat je genoeg tijd hebt, zowel voor het drin-ken als erna.'

Ik durfde niet te vragen of ik er eens bij mocht zijn als hij dronk. Maar ik probeerde de sigaret die hij mij voorhield. Nam een trekje en hield de rook even in mijn mond voor ik hem uitspuugde.

'Je moet de rook een eindje je longen in zuigen, maar eerst heel voorzichtig. De rook moet beneden als het ware stoeien met je longen. Dat gevecht is het mooie, als de nicotine, het vergif, opstijgt naar je hersenen waar het je gedachten recht trekt. Je vindt het vast fijn.'

'De volgende keer lukt het wel', zei ik.

Urban had nog nooit zo lang tegen me gepraat en ik bleef een hele tijd over zijn woorden nadenken. Wat had hij precies gezegd?

Had hij geheimen voor zijn familie?

'Weet Sven dit allemaal? Over het roken en dat je drinkt?'

'Ja', zei hij.

'Maakt hem dat verdrietig? Omdat hij zo in geheelonthouding gelooft?'

'Ja, papa is verdrietig. Maar daar hoef jij je niets van aan te trekken.'

'Waar rijdt Ulf 's nachts naartoe?' vroeg ik toen, want dit leek me het goede moment om dat te vragen.

'Naar een meisje in het volgende dorp.'

Birgitta wilde naar Umeå om nieuwe handwerkpatronen te kopen. Ik zou meegaan en kreeg een loden jas aan en dikke wollen wanten. Ik had ook een bontmuts gekregen en toen ik mezelf in de spiegel zag, vond ik dat ik eruitzag als een klein meisje. Zoals ze mij graag zag. De auto rook naar kauwgom, want Birgitta had altijd kauwgom in haar mond. Ze had haar mooie jas aan en ze had iets in haar haar gedaan zodat het krulde. Hoewel het vroor had ze geen muts op. De autorit naar de stad duurde veertig minuten en Birgitta luisterde de hele weg naar muziek. Ik had het orgel in de kerk van de Pinkstergemeente gehoord, en het geluid ontroerde mij zo dat ik er tranen van in mijn ogen kreeg. En de dominee, die voorzong met zijn donkere stem terwijl het koor met alle hoge stemmen volgde. Wij gingen om met de zonen van de dominee, maar van de kerkdiensten hielden Sven en Birgitta niet. Ze hadden een eigen geloof, dacht ik. Maar de muziek was me bijgebleven.

Birgitta luisterde naar muziek uit de jaren vijftig, vertelde ze.

'Van toen ik jong was en uit dansen ging en ze deze nummers speelden. Ik word blij van deze muziek, kun je je dat voorstellen?'

Ik merkte dat hij haar opvrolijkte want ze zong de refreinen uit volle borst mee en ik bedacht dat iedereen bij mij thuis zich in zijn eentje anders gedroeg dan wanneer Sven erbij was. De sneeuw langs de weg was vies. Birgitta vloog er met de auto voorbij.

Later, in de winkel, vroeg ze of ze de nieuwe patronen mocht zien. De eigenaresse van de winkel haalde de doos trots tevoorschijn en stalde alles uit: een witte eland in een bos, elfen die in de mist boven een weiland dansten, een rozenkrans met de tekst: 'Een dag van dorst is nooit vermorst'.

'Welke zal ik nemen?' vroeg Birgitta.

'De witte eland', zei ik.

'Dan borduur ik die voor jou. En ik neem de rozenkrans voor mezelf', zei ze tegen de mevrouw van de winkel.

Ik keek naar het patroon van de witte eland. Zou ik die krijgen? Zoiets moois? Mijn ogen brandden en ik was blij dat we weer naar buiten gingen waar de droge lucht de tranen droogde die uit mijn ogen dreigden te vallen.

'We gaan ook naar de boekwinkel', zei Birgitta terwijl ze me een arm gaf.

Het was duidelijk dat ze ervan genoot om in de stad te zijn. Ik wist niet hoe ik me moest voelen: als een vriendin of als een dochter, maar ik was geen van beiden, dus ik rechtte mijn rug en stribbelde tegen tot ik alleen mocht lopen.

In de boekwinkel zou Birgitta een nieuwe roman kopen.

'Ik neem een boek van een van ons', zei Birgitta terwijl ze het op de toonbank legde. 'Er is net een nieuwe roman van hem uitgekomen', zei ze tegen mij terwijl ze me het boek liet zien.

'Wil jij iets hebben?' vroeg ze aan mij. 'Het is goed voor je om te lezen', zei ze daarna, met een blik op de plank met jeugdromans.

'Die daar?' zei ik terwijl ik wees.

'Wat is dat?' vroeg Birgitta terwijl ze opkeek.

'Een kaart van de Middellandse Zee', zei ik.

De bijl kloofde het hout en de stukken vielen uit elkaar.

'Je hoeft helemaal geen kracht te zetten', zei Urban. 'Het gewicht van de bijl is genoeg, alleen de zwaai is belangrijk. Probeer nog eens.'

Ik probeerde het nog eens. Zette het stuk hout op het hakblok en hield de bijl achter mijn rug. Nu bewoog ik alleen met de bijl mee en kloofde het hout zonder kracht te zetten en het verbaasde me hoe het met een kleine tik gehoorzaam spleet.

'Kijk, nu kun je het', zei Urban terwijl hij wegliep.

Terwijl ik het ene stuk hout na het andere kloofde, dreunde daar beneden de rivier. Hij drong omhoog en ademde opgelucht als hij meer ruimte kreeg. De sneeuw hing aan de takken en de bomen en als je de sneeuw in liep, zonk je er tot je schouders in weg.

Alles had een eigen ritme: de bijl die zong en de geluiden van de rivier daar beneden. Mijn lichaam zat gevangen in de beweging en het geluid klonk mij als muziek in de oren. Ik hakte en hakte. Ik zou de hele stapel doen. Toen de zon onder was gegaan, was de hemel rood. Iedere keer dat ik uitademde, kwamen er rookwolken uit mijn mond. Ik ga een brief schrijven, zei ik tegen mezelf. Ik begin vanavond, dacht ik en kloofde nog een blok. Ik weet niet hoelang ik daar had gestaan toen Urban ten slotte terugkwam.

'Nu moet je ophouden', zei hij. 'Kom in ieder geval binnen koffiedrinken. Je lippen zijn helemaal blauw.'

Pas toen ik het huis in kwam, waar koffie en koekjes klaarstonden op tafel, merkte ik dat ik het koud had.

Ik pakte pen en papier en ging aan mijn bureau zitten. Aan de hemel stonden de sterren. Ik wist dat ik gewoon moest beginnen. Het ene woord kon niet beter zijn dan het andere.

'Conrad', schreef ik. 'Ik ben het die je schrijft. Je weet nog wel wie ik ben. Het is gauw tijd om elkaar weer te zien. Ik woon bij een gezin. Iedereen is aardig tegen me. Ik heb de afgelopen weken zowat alles geleerd. Ik weet dat je in het ziekenhuis in de stad bent. Je moet alles vertellen.

Je dochter.'

Ik plakte de envelop dicht, schreef mijn adres op de achterkant en bladerde door het telefoonboek dat ik van het tafeltje op de bovenverdieping had gehaald.

Ik vond het ziekenhuis en schreef het adres en de naam Conrad op de envelop. Er was daar vast maar één Conrad. De brief zou aankomen, daar was ik zeker van.

De brievenbus was bij de kiosk voor de supermarkt. Ik trok mijn donzen jack aan en ging met de brief de kou in. De sneeuw kraakte en ik stond er niet bij stil dat ik onder mijn jack alleen mijn nachtpon droeg. Ik liep door zonder op de kou of de sterren te letten. Elke keer dat ik uitademde vormden zich wolken. Er kwam een zin bij me op: 'Hoe mooi het leven is', en ik wist niet of het een gezang was dat ik had gehoord of dat het gewoon iets was wat ik dacht. Daarna dacht ik: ik wil niet doodgaan. Ik was me daar niet van bewust geweest, dat ik dood had willen gaan, maar nu begreep ik dat dat zo was.

Ik had een paar munten in mijn zak en dat was genoeg voor de postzegel. Ik likte er goed aan en drukte hem stevig op de envelop. De brievenbus nam de brief aan en het luikje sloeg dicht toen ik het losliet.

Die nacht kreeg ik koorts, ik lag in bed en mijn lichaam rilde en deed pijn. Ik keek naar mijn geborduurde witte eland en naar de landkaart met de zee die zo echt leek terwijl hij alleen maar getekend was. Ik voelde dat Urban en Ulf in de kamer waren en ik voelde hun hand op mijn voorhoofd. Birgitta kwam met een drankje en de bonzende muren hielden op met bonzen en ik gleed in slaap en zag de zonen van de dominee op een rij staan zingen over de ondergang van de mensheid. Ze heetten Daniel, Josef en Benjamin en ze stonden in hun pyjama's bij de rivier, waardoor ze tweestemmig zongen met de rivier tot ze er plotseling in doken en verdwenen. Geloofde ik in het lijden van onze Verlosser? vroegen ze me onder water. Kon ik mijn lichaam in dienst stellen van hem die almachtig was en over ons waakte? Wat wist ik eigenlijk van barmhartigheid? zongen ze. Zong ik weleens over de wet van de levende god? zongen ze samen met de bulderende rivier.

De brief. De brief. Ik werd wakker. Ging rechtop in bed zitten. Het was nacht. De klokradio op mijn nachtkastje scheen 4:43. Ik had een brief gestuurd. De zekerheid dat mijn vader zou lezen wat ik geschreven had. Dat hij de envelop in zijn handen zou houden en vervolgens voorzichtig zou openmaken om daarna te lezen. Lezen wat ik geschreven had. Wat zouden de woorden met hem doen? En wat zou hij doen nadat hij ze had gelezen? Zou hij de brief op zijn nachtkastje leggen en nadenken over wat de woorden betekenden? Zou de herinnering aan mij er meteen weer zijn? En dan was er de vraag die me het meest angst aanjoeg: zou hij terugschrijven of de brief wegleggen en er nooit meer aan denken? Zou hij zich mij herinneren? Zijn dochter? Zou ik verdwijnen of verwelkomd worden? Eerder, vóór de brief, kon ik altijd hopen, maar nu had ik een beslissing geforceerd. Ik herhaalde het woord: een beslissing. En ik stond op.

Het huis was stil, alleen Svens gesnurk klonk van achter de deur. Ik liep de trap op en ging aan de keukentafel zitten. At een beschuit die nog in de broodmand op tafel lag. De bruin-wit geweven loper lag er keurig onder. Ik zoog aan de beschuit tot die nat en brokkelig werd.

Toen pakte ik drie suikerklontjes uit een klein mandje van berkenbast en beet erop tot mijn mond vol beschuitkruimels en suiker was. Ik spoelde alles weg met melk. Ik dronk direct uit het pak, dat ik daarna op het aanrecht zette.

Ik hoorde de buitendeur opengaan, waarna Ulf binnenkwam. Hij deed snel zijn jas uit, knikte naar me en liep de trap af. Ik hoorde hem de deur naar Sven opendoen en nam aan dat hij de autosleutels teruglegde. Ik hoorde hem zijn kamer in gaan en de deur dichtdoen. Toen werd het weer stil in huis.

Ik hees me in mijn winteroverall, die erg dik en propperig was. Ik trok mijn muts over mijn hoofd en deed mijn wanten aan. Toen pakte ik mijn ski's en maakte de bindingen vast. Het was koud buiten, er was een heldere sterrenhemel, de sneeuw glinsterde in de nacht. Er lag droge sneeuw en mijn ski's gleden goed, hoewel er geen spoor gemaakt was. Ik ging over een sneeuwwal omlaag naar de grote weg en stak over, daarna was ik in het bos en de bomen waren helemaal zwart, hoewel het spoor ook 's nachts door lantaarns verlicht werd. Ik gleed over het spoor, waarbij ik mijn stokken de eerste meters het werk liet doen. Daarna kreeg ik vaart en hielpen mijn benen en armen mee. Mijn hele lichaam verlangde naar snelheid en bij de eerste afdaling voelde het alsof het lachte.

School was een probleem. Tot nu toe had ik niet mee hoeven gaan met Ulf en Urban in de schoolbus naar de stad. Ik kon overdag doen wat ik wilde en ik was begonnen samen met Birgitta te borduren. En ik skiede, maakte lange tochten langs de rivier. Maar na Kerstmis was dat afgelopen. De schoolleiding, die Sven kende, wilde dat ik naar school zou gaan en Sven vroeg zich af in welke klas ik het beste kon komen. Ik kon lezen en schrijven en sporten was ook geen probleem, het was meer het sociale, hoorde ik hem op een dag aan de telefoon zeggen.

Ze besloten dat ik in de zevende klas zou beginnen. Ik was best groot en nu telde ik mijn laatste dagen in vrijheid af en was bang. Ik wilde niet. Ik was niet nieuwsgierig naar de anderen, hoewel ik mijn klas een paar keer in het jaarboek van Urban en Ulf had bekeken. De jongste van de dominee van de Pinkstergemeente, Benjamin, zat in die klas, en Britta van Anna-Lisa, die altijd naar de geheelonthoudersbijeenkomsten kwam. Er waren er meer die dat deden, maar misschien niet naar iedere bijeenkomst, zoals Britta en Anna-Lisa. Anna-Lisa was een vriendin van Birgitta, maar ze keek wel erg toegewijd naar Sven, zoals hij daar achter zijn katheder stond. Britta en ik zouden vriendinnen moeten worden, zei Birgitta.

'Aardig meisje, turnt, weet van aanpakken', zei Birgitta, die stiekem hoopte op haar en Ulf.

Ze wist niets van het meisje waar Ulf 's nachts naartoe ging. Britta had een eigen schoonheid, een onregelmatige schoonheid. Ik hield ervan om haar van verschillende kanten te bekijken als we in de ontmoetingsruimte zaten. Van één kant leek haar mond groot en haar neus grof, uit een andere hoek zag ze er popperig uit en vanuit een derde was ze heel gewoon, alleen een beetje bleek. Zo'n veranderlijk gezicht was spannend en nadat ik haar gezicht bestudeerd had, ontdekte ik op een dag dat van mijzelf.

Ik had twee kanten, vond ik. Mijn linkerkant was leuk, met een kleine neus en mond. Mijn rechterkant was grover, maar mijn gezicht bleef toch één geheel door de groene ogen en de wenkbrauwen die borstelig en donker waren. Birgitta had gezegd dat ik een mooi meisje was. Maar dat was niet wat ik probeerde te zien. Ik probeerde me mijn vaders gezicht te herinneren zoals het was wanneer we elkaar volkomen rustig aankeken. Ik herinnerde me zijn verdrietige groene ogen, maar al het andere kon ik niet goed terughalen. Ik herinnerde me zijn kin, dat die een beetje naar voren stak. En zijn mond. Die op de mijne leek.

Ik dacht aan school. Ik zag mezelf de klas in gaan en in een bank gaan zitten. Ik dacht dat ik waarschijnlijk door de leraar zou worden voorgesteld, maar daarna aan mezelf zou worden overgelaten. Ik wist dat ze bang voor me waren. Dat ze thuis over me praatten. Ik begreep dat ik alleen zou zijn. Nu was ik natuurlijk ook alleen, maar die eenzaamheid zou anders zijn. Het was één ding om overdag alleen te zijn omdat er niemand anders dan Birgitta was om mee te praten, maar het was iets heel anders om alleen te zijn tussen een heleboel anderen. Dat is een gevecht, dacht ik. Je moet vechten. Ik weet niet waar het woord 'gevecht' vandaan kwam. Maar toen het er eenmaal was, kon ik het niet meer vervangen door een ander woord.

Gevecht. Het is een gevecht. Ik moet sterker worden. Zo sterk dat ik niet alleen ben, maar dat zij me uit de weg gaan. De eenzaamheid in mezelf moet hun eenzaamheid worden. Ik besloot mijn uiterste best te doen op het schoolwerk. Ik zou alles leren. Het was vast niet moeilijk. Niet als je het wilde. Ik besloot dat ik naar school wílde gaan. Door het zelf te willen, veranderde ik de regels. Ik zou winnen. Dat maakte me rustig. De onrust die ik gevoeld had, verdween en ervoor in de plaats kwam een gevoel van rust dat ik tot nog toe alleen na een skitocht had gehad. Ik had alleen mijn vader nodig, bedacht ik en ik voelde dat het waar was. En dat dat Birgitta's vragende blikken veroorzaakte. Het feit dat ik hen niet nodig had.

'Ik ben zo blij dat je er bent, Anna', zei Birgitta toen ik bovenkwam om te ontbijten.

Ze zette borden op tafel en legde er lepels bij. Pakte koppen voor de thee en theelepeltjes. Birgitta zette de broodmand neer met de versgebakken bolletjes en de boter en de jam. Ze hield van een Engels ontbijt. Zij en Sven waren een keer met zijn tweeën naar Londen geweest. Toen ze jong waren. Voordat ze kinderen hadden. In hun hotel hadden ze 's ochtends English breakfast gegeten en 's middags afternoon tea gedronken. Ze hadden ook een musical gezien, *Jesus Christ Superstar*, en de grammofoonplaat gekocht.

'Het was helemaal fantastisch', zei ze op een dag terwijl ze vlak bij me kwam staan en me de plaat liet zien. 'Zal ik hem eens opzetten?'

Uit de luidspreker stroomde muziek en toen Jezus van het

kruis zong, probeerde ik de tekst te volgen die op de platen-
hoes stond, maar ik kende geen Engels dus de woorden hadden geen betekenis. Maar de muziek was mooi. Heel anders
dan de gezangen van de Pinkstergemeente.

'Het is fijn om een meisje in huis te hebben. Het is zo fijn
dat je er bent. Dat dacht ik, toen ik Erik tegenkwam, die zei
dat we allemaal wel blij zouden zijn met je komst. Dat je een
zegen bent. Dat zei hij.'

Erik is de dominee, of eigenlijk voorganger van de Pinkstergemeente. Hij gaat over het geestelijke leven in het dorp.
Sven gaat meer over het lichaam en de zintuigen. Zo hadden
ze het onder elkaar verdeeld, zodat ze elkaar niet in de weg
zouden lopen. Hier in het noorden was het heel belangrijk om
goede buren te zijn, en het dorpshuis en de kerk lagen naast
elkaar. Erik en Sven maakten soms samen de roosters zodat
niets botste, of zodat de gemeente meteen na de kerk door
kon naar de geheelonthouding, of andersom.

'En daar heeft Erik gelijk in', ging ze door. 'Hij is zo goed
met woorden. Ik had me dat niet gerealiseerd. Dat je een zegen bent. Ik had wel bedacht dat ik blij word als ik naar je kijk.
Van dat soort dingen. Maar een zegen. Dat is een veel beter
woord.'

Ik wist niet wat ik moest antwoorden, dus ik ging maar
door met tafeldekken. Pakte de servetten en legde ze op tafel,
pakte de pan met kokend water en schonk de theepot op. Een
zegen, dacht ik terwijl ik zag hoe het water in de theepot rood-
bruin kleurde. Ben ik dat? Erik kon het weten.

Op de vierde dag kwam de brief.

Ik deed hem gauw onder mijn trui, stopte hem onder de band van mijn broek en probeerde heel gewoon langs Birgitta te lopen, die met haar borduurwerk op de bank zat. Mijn hart sloeg snel, alsof het in mijn buik omlaag was gevallen en daar lag te kloppen, en alles was wit voor mijn ogen. Mijn mond was droog, ik kon nauwelijks ademhalen. Het was een soort angst. Alsof alles was weggevaagd, behalve mijn hartslag. De paar stappen van de trap naar mijn kamer leken wel kilometers.

Ik deed de deur dicht en ging op mijn bed zitten. Tilde mijn trui op en haalde de brief tevoorschijn. Ik rook eraan. Hij rook naar warm papier en sigaretten. Ik was te veel in paniek om de brief open te maken. Ik moest rustig lezen, dacht ik, en smeekte mijn hart op te houden met bonzen.

Ik ging op mijn buik op mijn bed liggen en ademde langzaam in en uit. Mijn kussen rook naar wasmiddel en haar. Ik kneep zo hard ik kon mijn ogen dicht. Spande mijn hele lichaam, mijn gebalde vuisten, mijn gezicht en bleef een paar seconden zo liggen voordat ik me een beetje ontspande en voelde hoe mijn lichaam langzaam tot rust kwam.

Ik draaide me op mijn rug. Keek naar de landkaart. Las de namen van steden en eilanden: Thessaloniki, Thasos, Kefalonia, Ithaca en verderop in de zee: Cyprus.

Ik ging zitten en pakte de brief. Maakte hem met mijn wijsvinger open en haalde het velletje papier eruit, dat bedekt was met in inkt geschreven letters.

Ik begon te lezen:

Er gebeurde iets toen Rolf en ik gisteren uit de bioscoop naar buiten kwamen. Ik stak even een sigaret op en toen kwam er iemand langs die tegen de sigaret stootte, zodat de sigaret uit mijn hand viel. Maar het was de vraag waar hij gevallen was. En we zochten en keken overal om ons heen, maar we konden de sigaret niet vinden en toen zei Rolf, is-ie misschien in je zak gevallen? En op een gegeven moment waren we erachter dat-ie in de rechterzak van mijn jas was gevallen en daar een gat in had gebrand, en daar schrokken we allebei zo erg van dat we de hele avond niets meer zeiden. In het ziekenhuis hing ik zelfs alle kleren in de badkamer, ik dacht, als er weer iets gaat branden is het beter als ze in de badkamer hangen.

Ik las de brief een paar keer. Bekeek elk woord van alle kanten in een poging er iets in te ontdekken. Een mededeling aan mij, maar ik vond niets. Mijn hart bonkte nog steeds in mijn keel. Wat stond er eigenlijk? Hij was met Rolf naar de bioscoop geweest. Was dat de Rolf over wie Ulf verteld had? Mocht hij het ziekenhuis uit? Dat was in ieder geval goed nieuws. En hij ging naar de bioscoop. Hij ging naar de bioscoop en rookte sigaretten. Hij was bang voor vuur.

Ik bedacht dat hij iets beschreef wat kortgeleden gebeurd moest zijn. Ik haalde de krant en bladerde naar achteren naar de advertenties van de bioscopen. In Grand draaide in de grote zaal een spionagefilm en in de kleine zaal een western. Welke film zou hij hebben gezien? Ik vermoedde de western.

Ik besloot twee dingen te doen: een nieuwe brief schrijven en zaterdag naar de bioscoop gaan. Maar ik wilde alleen gaan. Ik kon zelf de bus naar de stad nemen, maar als het niet mocht, moest ik Ulf of Urban meenemen. Liefst Urban.

Ik legde de brief in de la van mijn nachtkastje en sloop met de krant naar boven.

Ik was nog nooit naar de bioscoop geweest. Ik verheugde me erop dat ik binnenkort dezelfde film zou zien als mijn vader de week ervoor. Ik dacht erover na hoe ik tegen Sven en Birgitta over mijn bioscoopbezoek kon beginnen. Ze zouden zeker willen dat er iemand meeging. Maar het kon ook dat ze me zouden aanmoedigen alleen te gaan. Ik had een keer 's avonds een gesprek gehoord waarin ze zeiden dat het niet goed voor me was om zo veel binnen te zijn. Dat ik nog andere hobby's dan skiën moest hebben. Een teamsport. Volleybal, besloten ze. Sven zou met de trainer praten.

Ik zou er tijdens het handwerken met Birgitta over beginnen. Dan was ze altijd in een goede bui. Het ergste wat kon gebeuren was dat ze zou zeggen dat ze zelf mee wilde. Misschien zou ik op een zondag gaan, als zij bezig was met de koffie bij de geheelonthouders. Aan de andere kant had ik het gevoel, waarom wist ik niet, dat Conrad 's zaterdags een vrije dag had van het ziekenhuis. Misschien kon ik hem daar ontmoeten. In de bioscoop.

Ulf kwam me halen. Ik lag op mijn bed naar de kaart te kijken. Ik kende nu de namen van alle Griekse eilanden en steden op het vasteland.

'Kom', zei hij. 'Daniel, Josef en Benjamin zijn er. We gaan naar de kerk.'

Ik vroeg niet waarom, kwam gewoon overeind en liep mee

naar de gang. Ik trok mijn donzen jack aan en zette mijn muts op en knoopte de veters van mijn hoge winterschoenen dicht. Het was buiten -15, en de wolkjes dreven mijn mond in en uit. Ik knikte naar de zonen van de dominee die op een rijtje op straat stonden te wachten.

Nog steeds zonder iets tegen elkaar te zeggen, liepen we de helling op naar de Pinksterkerk. Daniel deed met de sleutel de deur open. Ik was nooit eerder in de kerk geweest zonder dat er andere mensen waren. De houten banken gaapten leeg. De gezangboeken lagen op een stapel op een houten tafel en helemaal voorin was het altaarstuk met de gekruisigde Christus. Er beefde iets in mij. Als een passie. Maar ik weet niet of het dat was.

'Zet haar daar maar neer', zei Daniel, de oudste, die naar de preekstoel wees.

Ulf nam me bij de arm en liep samen met mij naar de preekstoel. Daar zette hij me neer en draaide me om zodat ik met mijn gezicht naar de lege banken stond. De zonen van de dominee zaten helemaal achterin en Ulf ging bij hen zitten.

'Nu kun je beginnen', zei Daniel.

Ik keek hen aan. Vier blonde jongens die met grote ogen terugkeken. Wat wilden ze? Waarmee moest ik beginnen? Mijn benen trilden omdat ze zo naar me keken. Ik wilde weggaan. Bij hen gaan zitten en alles weglachen, maar ik bleef staan.

'Waar moet ik mee beginnen?' vroeg ik.

'Je moet in tongen spreken.'

Niemand in de gemeente sprak in tongen. Ik had Erik horen zeggen dat hij zuinig was op de waarheid en dat niemand in zijn kerk de boel voor de gek mocht houden.

'Ik kan het ook niet en ik ben nog wel de voorganger', zei hij. Zo eerlijk was hij dus. 'We hebben het over God die via de mens tot ons spreekt', had hij gezegd. 'En we spelen niet met Gods woord. Dat is er, of het is er niet. Wij kunnen alleen maar bidden, de teksten lezen en hopen. Maar wij mogen de zaken nooit verdraaien. Niet doen alsof, omwille van hem.'

Wat had hij gezegd?

Dat ik God via mij moest laten spreken?

'Dat kan ik niet', zei ik.

'Probeer het.'

Daniel klonk streng. Soms leek hij degene die de baas was in het domineesgezin. Zelfs Erik leek zwak vergeleken bij hem.

Ik besloot het te proberen. Er brandde iets in mij. Wat? Schaamte? Ik stond daar op de grond en schaamde me. Daarna opende ik mijn mond en sprak.

De woorden stroomden naar buiten, ze hadden geen begin of einde, ze hoorden bij elkaar en speelden met elkaar, werden uit elkaar getrokken en losgelaten. Ze vulden de hele kerk, ik vond dat ze dreunden en kolkten als de rivier en het was alsof ik van een afstandje zag hoe ze met elkaar speelden. Hoe ze elkaar beten en zich schrap zetten. Ik had me nooit eerder gevoeld zoals nu, met de kerk vol woorden die uit mij waren gekomen, uit mijn diepste innerlijk.

Ze kwamen en maakten alles om me heen blauw. Ze wervelden en ik dook in de golven. Ik zag een meisje liggen slapen in een bed, haar haar was uitgespreid over het kussen. Ik boog mij voorover om over haar wang te strelen. Toen opende zij haar ogen. Ik viel door een tunnel en werd wakker omdat ik op de grond lag. De zoons van de dominee en Ulf stonden over mij heen gebogen.

'Ik zei toch dat ze het kon', zei Ulf.

Mijn leven veranderde. Elke zondag sprak ik in tongen, als dat tenminste was wat ik deed wanneer de woorden zomaar uit mijn mond stroomden en de enige werkelijkheid werden. De woorden raakten met elkaar vervlochten en zongen. De kerkdiensten werden altijd goed bezocht en het nieuws verspreidde zich naar de omliggende steden. School was niet meer aan de orde, zei Erik. Het is belangrijk dat ze rust krijgt, ze geeft iedere keer zo veel van haar krachten. Jullie begrijpen toch dat het veel van haar vergt, elke keer dat ze spreekt. Zij is niet zoals wij. Ik kan haar zelf in de Heilige Schrift onderwijzen, zei Erik tegen Sven, maar daarop zei Sven nee. Dat ze in tongen kon spreken, betekende niet dat ze kerkelijk hoefde te worden. Sven en Erik taxeerden elkaar met hun blik.

Ik bleef brieven schrijven aan Conrad, ook al kreeg ik geen antwoord. Ik vertelde wat ik overdag deed maar had het niet over de tongentaal. Ik wist niet zeker of het God was die sprak en wilde wachten tot ik meer wist. Bovendien had ik het gevoel dat de kwestie Conrad ongerust zou maken. Hij had waarschijnlijk genoeg aan zijn eigen stemmen. Ik zocht in het woordenboek 'schizofrenie' op. Zware psychische stoornis met gespletenheid van geestelijke functies. Ik dacht lang over de stemmen na. Dat mijn onbekende stem gezond was, zelfs waardevol, terwijl die van hem ziek was, waardoor hij in een ziekenhuis moest worden opgenomen. Ik bedacht dat onze onbekende stemmen misschien op elkaar leken. Dat de verschillen misschien niet zo groot waren als ze op het eerste gezicht leken.

De derde zaterdag na de eerste brief lukte het om naar de bioscoop te gaan. Ik nam de bus naar de stad. Ik mocht alleen, zoals ik gehoopt had.

Grand lag op een hoek van het winkelcentrum, vlak bij de zee. Ik stond daar bijna nooit bij stil. Dat de stad aan zee lag. Nu was die bevroren en de ijsbreker lag voor anker bij de grote pier te wachten. De zon en al het wit deden pijn aan mijn ogen. Ik hield mijn handen boven mijn ogen om genoeg schaduw te krijgen om ver, ver over het ijs te kunnen kijken. Ik wilde eroverheen lopen, maar durfde niet, voor het geval het zou scheuren. Ik had nog nooit over ijs gelopen en had het gevoel dat Urban erbij moest zijn.

Ik liep weer terug naar het winkelcentrum, waar de bioscoop was. Ik was zenuwachtig, want misschien zou ik hem tegenkomen. Hij had me vast niet voor niets zo'n aanwijzing gegeven.

Ik liep naar het loket waar een oude vrouw een tijdschrift zat te lezen.

'Een kaartje voor de western,' zei ik, 'en een frisdrank en een zakje snoepjes.'

In een mand lagen voorverpakte zakjes snoep. Ik was de enige bezoeker, maar dat was niet zo gek, want ik was vroeg. Ik wist niet hoelang ik erover zou doen om van de bushalte naar de bioscoop te lopen en bovendien wilde ik vroeg zijn zodat ik goed kon zien wie er binnenkwam.

Als eerste kwamen twee jongens met mutsen op en donzen jacks aan. Ik registreerde dat ze er waren maar hield mijn blik op de deur gericht. Die nog twee keer openging. Er verschenen twee meisjes, ouder dan ik, en drie oude mensen uit het verzorgingstehuis. Ze wilden allemaal naar de spionagefilm, dus toen de deuren naar de filmzalen opengingen, was ik de enige die naar de kleine zaal liep. Ik deed mijn donzen jack uit en begon aan mijn snoepjes. Ze smaakten fantastisch. Ik zorgde dat ik ze telkens helemaal opzoog voor ik er weer een nam. Het was een matinee. Buiten bij de ingang had ik deze nieuwe woorden zien staan: 'Heden matineevoorstelling'.

Toen de film begon, leunde ik naar achteren. Ik was niet teleurgesteld dat mijn vader niet gekomen was. Het was fijn om de zaal helemaal voor mezelf te hebben en toen de muziek en de bewegende beelden kwamen, voelde ik me gelukkig. Ik dacht het bijna hardop. Ik ben in de bioscoop en ik ben gelukkig.

Toen ik weer thuis was, schreef ik een lange brief aan mijn vader waarin ik vertelde wat ik van de film vond. Ik bedacht dat zijn geheugen misschien niet zo goed was, en dat hij daarom meer dan één keer naar dezelfde film kon gaan. Ik vroeg hem volgende week zaterdag te komen, zodat we de film samen konden zien en ik vroeg hem een foto te sturen van toen hij klein was. Ik had Sven horen praten over zijn tante, die dement was en zich alleen nog maar dingen herinnerde van toen ze klein was. Van de keer dat ze voor haar verjaardag een poppenhuis kreeg, dat door haar vader was getimmerd en ingericht met meubeltjes en zo en de keer dat ze belijdenis deed, dat herinnerde ze zich. En toen de dominee haar de hostie gaf en Jezus' bloed liet drinken. Dat ze de smaak van het bloed niet lekker vond en het uit wilde spugen, maar zichzelf had gedwongen het door te slikken. Misschien herinnerde Conrad zich ook alleen zijn jeugd. Misschien moest ik daar beginnen en daarna het beeld oproepen van mijn geboorte.

Ik begon al zenuwachtig te worden voor morgen, als ik weer voor de gemeente zou staan. Ik was bang dat er niets zou komen, geen woord, en dat ik de mensen teleur zou stellen. Ik wilde het graag goed doen omdat ze speciaal voor mij gekomen waren, soms van heel ver. Een keer had ik Greta tussen de mensen zien zitten, maar toen de kerkdienst was afgelopen, was ze er niet meer. Ik had haar naar Conrad willen vragen. Ik zou het liefste teruggaan naar het huis. Mijn wapenrusting. Lag die nog steeds onder de zitting van de keukenbank? Woonde er nu iemand anders? Ik wilde het graag weten. Ik hoopte dat ze de zondag erna weer zou komen, maar ik zag haar niet.

Het werd zondag. Erik deed me mijn gewaad aan en vroeg me net als anders om niets te forceren.

'Als het komt, komt het. Je hoeft dit voor niemand anders te doen dan voor jezelf. En als je niet wilt, dan doe je het niet. Kijk maar gewoon hoe het gaat. Volg de dienst. Na de geloofsbelijdenis geef ik je een knikje en dan is het jouw beurt. We doen het net als anders, goed?'

Erik tilde mijn kin op en keek me in de ogen. Zijn ogen waren bruin en ik bleef hem aankijken. Hem altijd.

'Je bent een zegen. Een wonder. Maar het mag nooit een last worden. Je moet niet meer dragen dan je leeftijd toelaat. Begrijp je wat ik zeg?'

'Ja', zei ik.

'Ben je erg moe naderhand?'

Ik knikte.

Ik werd wakker in Eriks armen. Hij droeg me naar de consistoriekamer, waar hij zich altijd verkleedde, en legde me op de vier stoelen die naast elkaar tegen de muur stonden.

Hij ging op zijn hurken naast me zitten, streek een paar keer over mijn haar en fluisterde toen: 'Je was goed vandaag. Je was echt heel goed.'

De volgende dag kreeg ik weer een brief. Ik jubelde toen ik hem op de vloer in de gang zag liggen. Ik pakte hem zonder hem te verstoppen en rende de trap af naar mijn kamer. Ik schopte de deur achter me dicht en wierp me op mijn bed, scheurde de envelop open. Er viel een zwart-witfoto uit de envelop. Ik hield hem in mijn hand en bleef er een hele tijd naar kijken voor ik begon te lezen.

Dit is een foto van mijn moeder, toen we zo'n zeventig kilometer landinwaarts van Skellefteå in de Östertjörn zwommen. Ik herinner me de dag niet, maar ik herinner me wel dat we vaak op die plek gingen zwemmen, alleen niet precies deze keer. Mijn moeder heet Gerda en verder staan mijn broertje Göran en mijn zusje Märta erop, en dan ik. En mijn vader en moeder zijn gescheiden en toen kreeg zij

werk in een vleeswarenfabriek en ze verdiende vast niet
erg veel, maar we moesten er met haar en drie kinderen
van rondkomen.

Wij hadden een naaimachine in de slaapkamer en op
een keer bedacht Göran, mijn broertje, dat hij daar een fort
met soldaten wilde hebben. Daarom liep hij heen en weer
naar de zandbak, waar hij een heleboel zand haalde dat hij
over de naaimachine uitstortte, hij is het nooit meer gaan
doen, maar hij mocht zijn fort daar houden, het mocht altijd op de naaimachine blijven staan.

Hij had mijn vraag beantwoord. Het werkte dus, dat van die
jeugd. Hij had een foto gestuurd, zoals ik hem had gevraagd.
Conrad had een broer en een zus, Göran en Märta. Waar waren die nu?

Ik keek naar de foto. Mijn vader tuurt tegen de zon in. Märta en Göran spelen met een boot.

Hij was nog een kind, maar je zag al dat hij het was. Ik herkende hem en ik herkende mijzelf. Het was iets met de ogen
en de jukbeenderen wat hetzelfde was. Je zag het duidelijk.
Het was geen inbeelding of verlangen. De gelijkenis was er.
Ik stormde met de foto naar Urbans kamer. Hij lag zoals gewoonlijk in de Bijbel te lezen.

'Urban,' riep ik, 'moet je kijken, Urban.'

Ik liet me op zijn bed vallen en hield hem de foto voor.

Urban legde langzaam de Bijbel op zijn nachtkastje. Ging
rechtop zitten en wierp me een blik toe, die ik niet probeerde
te begrijpen. Hij keek een hele tijd naar de foto.

'Is dat Conrad?' zei hij terwijl hij op mijn vader wees.

'Ja. Ja', zei ik. 'Het zijn Conrad en Märta en Göran met hun moeder Gerda.

Urban', zei ik. 'Vind je niet dat we op elkaar lijken?'

Urban keek een hele tijd aandachtig naar Conrad als kind. Daarna zei hij: 'Inderdaad. Wil je nu weggaan?'

Ik ging naar mijn kamer. Voelde me licht van binnen vanwege de duidelijke gelijkenis. Ik leek op hem. Hij leek op mij.

Ik voelde me draaierig door de gelijkenis. Ik wilde hardop schreeuwen. Alleen maar brullen, zonder dat iemand het hoorde. Ik moest naar buiten. Naar buiten met mijn ski's. Ik trok andere kleren aan en rende de trap op. Birgitta's 'we gaan over een kwartier eten' gleed langs me heen. Naar buiten. Naar buiten. Ik liet mijn jas hangen, pakte alleen een muts en mijn wanten. Ik rende naar de garagedeur, waar de ski's tegenaan stonden, en maakte de bindingen vast. Ik liep de helling op en algauw was ik bij het spoor, waar ik eindelijk mocht schreeuwen. Ik skiede en huilde en schreeuwde. Ik schreeuwde harder dan ik ooit had geschreeuwd en het was alsof mijn lichaam zich daar al deze weken bij het gezin in het dorp op had voorbereid. De schreeuw was zo machtig als een flatgebouw, als een muur van water, als de rivier in het voorjaar, als een vliegtuig dat zich losmaakt van de grond en opstijgt. Ik schreeuwde zo hard dat elke cel in mij trilde. Mijn schreeuw was als een storm. Als een stortbui. Als een speer was mijn schreeuw. Als een weg naar buiten.

Toen ik thuiskwam, lepelde ik snel het vlees en de aardappels naar binnen. Ze hadden een bord voor mij op tafel laten staan en Birgitta keek me onderzoekend aan. Dat deden

Sven en Birgitta wel vaker sinds dat met die stemmen in de kerk was begonnen. Soms had ik het gevoel dat ze bang voor me waren. In plaats van vertrouwelijkheid was er nu afstand. Het leek wel of we ongemerkt waren opgehouden met praten bij het avondeten en ik had het gevoel dat ik het miste. Ik wilde graag de dochter des huizes zijn, ook al wist iedereen dat ik dat niet was. Na het eten sloot ik mij weer op in mijn kamer. Ik keek steeds opnieuw naar de foto, alsof die me iets kon vertellen wat ik nog niet wist. Mijn vaders donkere haar, de manier waarop hij zijn hoofd scheef hield.

Ik ging met de foto naar de badkamer en hield hem naast mijn gezicht. Ik hield mijn gezicht in dezelfde scheve stand als hij het zijne. Daarna kneep ik mijn ogen samen en trok mijn lip op zodat je mijn tanden zag. De gelijkenis was enorm. Hoe oud was Conrad op de foto? Acht jaar. Hij kon mijn broertje zijn.

Die avond schreef ik een nieuwe brief. Ik had postpapier met enveloppen gekocht. Op het postpapier stond het koninklijke wapen met drie kronen. Ik had moeten kiezen tussen postpapier met paarden en dit, en ik vond dat de drie kronen beter bij Conrad pasten. Ik schreef maar één zin, een vraag:

Wat doe je overdag?
   Je dochter

Het leek me goed om het simpel te houden, zodat hij niet over te veel tegelijk hoefde na te denken.

Ik plakte de envelop dicht. Ik ging opnieuw naar de kiosk

met de brief onder mijn jack verstopt. Ik kocht een postzegel van de vrouw in de kiosk en dit keer had ik een paar kronen over voor snoep. Ik kocht drie winegums, één voor mezelf en één voor Urban en één voor Ulf. Ze waren rood met groen, heel mooi en groot. Ik kon er de hele avond mee doen. Ik postte de brief en ging naar huis. Onderweg kwam ik Anna-Lisa en Britta tegen. Ze lieten hun hond uit, een Siberische husky. Ik had hem al vaak gezien en ik vond hem mooi met zijn ijsblauwe ogen en zwarte wimpers. Ik wilde ook een hond, precies zo'n hond wilde ik, maar ik had Sven en Birgitta er nog niet naar durven vragen. Anna-Lisa wuifde en ik liep naar hen toe. Britta keek me van onder haar muts aan en ik zei haar beleefd goedendag.

'Anna', zei Anna-Lisa. 'Wil je niet een keertje bij ons langskomen? Dat zou Britta leuk vinden, toch Britta?'

Britta keek me aan en knikte.

'Jullie kunnen op Britta's kamer zitten of met de hond wandelen', zei Anna-Lisa.

'Ja', zei ik. 'Dat kunnen we doen.'

Dat zei ik alleen maar om ervanaf te zijn, maar ik wist hoe vastberaden Anna-Lisa was, dus ik zou zeker moeten komen.

'Daag', zei ik terwijl ik onze straat insloeg en de heuvel naar ons huis op liep.

Gotver, dacht ik toen ik aan Britta dacht. Ik wilde veel liever aan mijn vader denken. Dat hij de volgende dag de brief zou krijgen. Ik wilde aan Conrad denken en aan de winegums die ik mee naar huis nam, maar in plaats daarvan dacht ik aan Britta's kamer. Aan wat we tegen elkaar zouden zeggen. Mensen nemen zo veel plaats in beslag in je hoofd, dacht ik. Ze graven zich een weg naar binnen en blijven daar, terwijl je liever alleen wilt zijn. Wat heeft Britta, met haar blik van onder haar muts, in mijn lichaam te maken? Nu ze daar zat, wist ik dat alleen mijn ski's haar konden laten verdwijnen, maar vanavond kon ik niet gaan skiën. Vanavond zouden we samen theedrinken, met z'n allen. Urban zou niet gaan trainen en Ulf zou niet naar de zoons van de dominee gaan. We zouden theedrinken en familieberaad houden. Ik had nog nooit zo'n beraad meegemaakt, maar had er weleens over gehoord. Iedereen zou vertellen waarmee hij bezig was, wat hij had meegemaakt. Er zouden belangrijke familiezaken besproken worden.

Toen ik binnenkwam zat iedereen al aan tafel. Ik trok snel mijn jas en schoenen uit. Liet me op mijn stoel zakken met het zakje snoep in mijn handen.

'Goed dat je er bent', zei Sven. 'Ik heb hier een lijstje met punten waar we het over gaan hebben. Als er iets is waar jij over wilt praten, schrijf het er dan bij.' Hij gaf me het lijstje waar allemaal vragen op stonden. Ik zocht naar een onderwerp, maar kon niets bedenken. Ik schoof het lijstje terug naar Sven.

'Punt één: dit is een punt van Birgitta en mij samen en het gaat over de stilte. We hebben het gevoel dat er niet meer gepraat wordt. Dat iedereen zo met zichzelf bezig is dat er hier thuis nog maar weinig wij-gevoel is. Geen teamgeest. Birgitta en ik hebben het er laatst over gehad, en wij voelen dat we jullie missen. Wat zeg jij ervan, Urban?'

Urban nam een slok thee en haalde zijn vingers door zijn haar.

'Die tijd is voorbij, papa', zei Urban terwijl hij een beschuitje smeerde.

'Wat bedoel je daarmee, Urban?' zei Sven op vriendelijke toon.

'Wij zijn allang niet meer zo vertrouwelijk met elkaar', ging Urban door. 'Wij komen allang niet meer naar jullie toe als we ergens mee zitten. Dat is heel normaal', voegde hij toe.

'Wil iemand anders hier iets over zeggen? Birgitta?'

'Ja, ik vind het gewoon niet leuk als niemand praat', zei Birgitta. 'Alleen Ulf zegt nog weleens iets, maar met jou, Ulf, lijkt het alsof je je verplicht voelt omdat niemand anders het doet.'

'Wát doet?' vroeg Ulf.

'Ja, jij maakt van die grapjes', zei Birgitta. 'Dat ik altijd maar op de bank zit te borduren en zo. Voor mij hoeft dat niet. Ik red me wel. Ik zou willen dat we met elkaar praten omdat we dat zelf willen.'

Ik had Birgitta nog nooit zo lang achter elkaar over één ding horen spreken.

Ik keek naar buiten, want ik had opeens tranen in mijn ogen, om Birgitta. Omdat waar zij naar verlangde nooit zou gebeuren. En ze werden op de een of andere manier zo klein, Sven en Birgitta, wat ik niet prettig vond. Het voelde ongemakkelijk om me groter te voelen dan zij. Dat Urban, Ulf en ik groter waren terwijl het andersom moest zijn.

'Maak je om mij maar geen zorgen, mama', zei Ulf en toen hij dat zei, begon Birgitta te huilen.

'Zullen we verder gaan?' zei Urban terwijl hij op het briefje met punten keek.

'"Samen koken"', las hij hardop.

'Ja', zei Sven. 'Dat is een voorstel van Birgitta, en ik moet zeggen dat ik het een heel goed idee vind. Dat we één keer in de week samen koken. En dan zijn we om de beurt verantwoordelijk. Een van ons doet boodschappen en bedenkt wat we eten en dan helpen we allemaal mee. Wat vinden jullie ervan?'

'Oké', zei Urban, alsof hij begreep dat hij zijn ouders tegemoet moest komen.

'Oké', zei Ulf terwijl hij mij aankeek.

'Oké', zei ik terwijl ik waarderend knikte.

'Dat is fijn', zei Birgitta. 'Laten we een dag kiezen, woensdag. Zal ik beginnen? Dan bedenk ik iets speciaals, iets exotisch. Dan zijn we allemaal om vijf uur in de keuken om te beginnen.'

Niemand zei iets.

'Het volgende punt is kort', zei Sven. 'Persoonlijke verzorging. Jullie moeten je vaker wassen. Dat geldt voor jullie alle drie, daarom breng ik het hier ter sprake. Jullie moeten elke dag onder de douche, en zeker als je getraind hebt. Genoeg hierover. Het volgende punt is de vuile was, die jullie laten slingeren. Ruim op! En nu heeft Ulf een punt.'

'De auto', zei hij. 'Ik vind dat we een nieuwe auto moeten kopen. Die we nu hebben is te klein, nu Anna hier is komen wonen. De motor is ook slecht', zei hij terwijl hij een suikerklontje tussen zijn tanden nam. Daarna slurpte hij de thee erdoorheen terwijl hij ons een voor een aankeek.

'Oké. Het volgende punt is misschien wat serieuzer', zei Sven terwijl hij mij aankeek. 'Anna, wij hebben het gevoel dat je iets samen met andere kinderen zou moeten doen. Dat alleen hier thuis zijn niet meer genoeg is. Je weet dat ik niet zo gelukkig ben over dat gedoe met de Pinksterkerk en ik heb met Erik gepraat en hij vindt het ook een goed idee. Een teamsport, Anna. Je weet waar ik het over heb. Vanaf maandag ga je volleyballen.'

Was dat alles? vroeg ik me af. Hij was zo ernstig, ik dacht dat hij over school zou beginnen, dus ik was nogal opgelucht.

'Is dat goed?' vroeg hij.

'Ja, dat is goed', zei ik.

'Dan zijn we klaar', waarop Urban en Ulf opstonden en de trap af liepen naar hun kamer.

Ik wilde ook gaan, maar vanwege het eenzame van Birgitta bleef ik zitten.

'Ik ben Anna-Lisa en Britta tegengekomen', zei ik aarzelend. Birgitta's gezicht klaarde op. 'Ze wilden dat ik langs zou komen.'

'Dat wil je toch wel?' zei Birgitta. 'Wat leuk. Wanneer ga je?'

'We zouden nog afspreken', en het voelde alsof ik haar een cadeautje gaf, iets moois dat ze al lang had willen hebben.

'Misschien krijg je een vriendin, Anna', zei ze terwijl ze haar hand over de mijne legde en met haar blik mijn ogen zocht. 'Dat is belangrijk. Meer dan je misschien denkt.'

Toen vond ik dat ik wel weg mocht gaan en stond op.

'Dank je, Anna', zei Birgitta terwijl ze ook opstond.

Met het zakje snoep in mijn hand liep ik de trap af. Klopte op Urbans deur en ging naar binnen. Urban zat met opgetrokken benen op zijn bed tegen de muur geleund.

'Ik heb snoep. Wil je ook?' vroeg ik terwijl ik hem het zakje voorhield.

'Verdomme, Anna.'

Ik keek hem aan terwijl hij daar op het bed zat. Wat zei hij nou?

'Volleybal en Britta. Daar gaat het niet om, dat weet je ook wel.'

'Waar gaat het dan om?' vroeg ik, maar ik durfde hem niet meer aan te kijken.

'Je praat niet in tongen', zei hij terwijl hij me dwong hem aan te kijken. 'Dat weet je toch ook wel?'

We zaten op Britta's bed. Als sprei had ze een lappendeken in allerlei tinten roze en ze had roze gordijnen. Aan het plafond hing een kleine kroonluchter, waarvan het licht tegen de muren weerkaatste alsof het danste. Alles was heel netjes en mooi. Net zo netjes als Britta's haar dat altijd kunstig op steeds een andere manier was opgestoken. Vandaag had ze een ballerinaknotje. Daarbij droeg ze een roze trui met Bambi erop en een donkerrode ribfluwelen rok. Aan haar voeten had ze roze pantoffels.

Ik voelde me onhandig in mijn bruine trui en spijkerbroek en dacht dat dat kwam doordat ik hier met Britta zat. Zo had ik me nooit eerder gevoeld.

'Als jij naar school zou gaan, zouden we in dezelfde klas zitten', zei Britta.

'Ik ga niet naar school', zei ik.

'Waarom niet?' vroeg Britta.

'Ik weet het niet precies. Ik geloof omdat ik het druk genoeg heb met de kerk.'

Van binnen voelde ik dat alles wat ik vanzelfsprekend vond, hier in Britta's kamer vreemd zou lijken. Het was alsof degene die ik was en het leven dat ik leidde, geen vragen verdroegen. Ik voelde me verzwakt. Ja, dat was het woord dat bij me opkwam. Ik zag mezelf door een wei rennen, achtervolgd door boogschutters. De pijlen vlogen om mijn oren en ik wist dat één enkele pijl genoeg was om mij te doden. Eén pijl en ik zou in het gras vallen en sterven. Ik zou doodbloeden, want er was niemand in de buurt. Plotseling voelde ik me kwetsbaar. Door Britta's ogen gezien leek ik verloren. Mijn vader gleed weg en veranderde in een verre schaduw. Ik had niets, hier op Britta's bed. Ik was helemaal alleen en het was alsof Britta met z'n honderden was.

'Doe je het met jezelf als je alleen in bed ligt?' vroeg ze.

'Wat bedoel je?' vroeg ik terwijl ik uit het raam keek. Het was buiten zoals gewoonlijk donker en ik dacht aan het voorjaar dat eraan kwam. Aan wat Urban had gezegd over het geluk bij de rivier en het licht dat zo snel kwam dat mensen gek werden. 'Zonneschijnziekte' noemde Urban het, als je niet kon slapen omdat je almaar vrolijker werd. De blijdschap die zich van je meester maakte en waarvoor er niet genoeg plaats was in je lichaam, en die een gat in je hoofd maakte om zich een weg naar buiten te banen.

'Daarom moet je tot in juni een muts dragen', had hij gezegd. 'Om je hoofd bij elkaar te houden.'

'Ik bedoel als je bloot bent onder je dekbed. Tussen je benen?'

Ik wilde naar huis. Naar huis.

'Heb je dat weleens gedaan?'

'Nee', zei ik terwijl ik niet begreep waar ze het over had.

Er werd op de deur geklopt. Het was Anna-Lisa.

'Willen jullie limonade komen drinken? Alles staat op tafel.'

Ik was blij dat ik weg kon uit Britta's kamer. We liepen de

trap op en gingen aan tafel zitten. Anna-Lisa had limonade en koekjes klaargezet. Ze keek me aan en glimlachte met haar mond, maar haar ogen vroegen iets wat ik niet begreep. Ik probeerde ook te glimlachen terwijl ik een koekje pakte. Anna-Lisa was weduwe, dat wist ik, en ook dat het iets speciaals was. Ik wist dat er iets gebeurd was, want Birgitta en Sven hadden er iets over gezegd. Iets wat ik me nu niet kon herinneren. Kon ik ernaar vragen?

'Doop ze maar in je limonade', zei Anna-Lisa.

Ze keek over het hoofd van Britta en mij heen en leek plotseling gelukkig. Haar gezicht, dat altijd zo beheerst was, werd zachter. Wat is ze jong, dacht ik. Ze is gelukkig omdat Britta en ik samen zijn, bedacht ik. Maar dat was niet zo. Plotseling voelde ik me schuldig dat ik hier zat en Anna-Lisa voor de gek hield, omdat ik hier met tegenzin was. Omdat ik deed alsof.

'Ik moet nu naar huis', zei ik terwijl ik opstond.

Ik durfde Britta en Anna-Lisa niet aan te kijken. Ik liep naar de gang, trok mijn schoenen en mijn jas aan. Plotseling stond ze daar, Britta, en ik schrok van haar lachje.

'Ben je bang voor mij?' vroeg ze.

Ik gaf geen antwoord. Keek alleen maar naar haar schattige gezichtje.

'Ben je bang?'

Ik schudde mijn hoofd. Plotseling omhelsde ze me. Ze bleef een hele tijd met haar armen om me heen staan. Ik geloof dat ze huilde want mijn jas werd nat en ten slotte voelde ik me gedwongen mijn armen ook om haar heen te slaan.

Anna-Lisa kwam tevoorschijn en haar gezicht was roodgevlekt. Ze lachte naar me. Streek over mijn haar, hoewel ik dat niet wilde.

'Kom gauw nog eens terug', zei ze. 'Dat zouden we leuk vinden. Toch, Britta?'

Britta's omhelzing verslapte, ze veegde met haar mouw langs haar neus en keek me aan met een kalmte die ik niet eerder bij haar had gezien.

'Ja. Je moet terugkomen', zei ze.

Ik rende de hele weg naar huis. De koude lucht die ik inademde deed pijn in mijn longen. Ik rende weg van Britta en Anna-Lisa. Van Britta's gezicht en Anna-Lisa's verdriet. Het huis kwam dichterbij. Ik zag Ulf bij de voordeur sneeuwruimen. Hij hief z'n arm ten groet en dat gebaar gaf me een warm gevoel dat zich in mij verspreidde, een stille jubel dat iemand mij herkende. Dat ik bij hen hoorde. Bij Sven en Birgitta en Urban en Ulf. Ik groette terug, hief mijn hand op naar Ulf, die lachte.

Ik kon die nacht niet slapen. Ik lag te draaien in mijn bed en de wind buiten joeg mij door de uren. Ik wilde echt slapen. Alles even vergeten en dan wakker worden in een nieuwe dag. Ik wilde wakker worden, douchen en aan de gedekte tafel gaan zitten, cruesli met melk en boterhammen met kaas eten en theedrinken. Ik wilde met Sven praten over de jeugdteams van Umeå en met Birgitta over het samen koken. Ik wilde mijn dankbaarheid tonen en iedereen ter wille zijn. Ik wilde iets teruggeven omdat ik zo veel gekregen had. In plaats daarvan dacht ik aan komende zondag. We zouden voornaam bezoek krijgen uit Uppsala en het was extra belangrijk dat de stemmen goed waren. Erik had gezegd dat ik net als anders moest doen, dat alles hetzelfde zou zijn, maar ik wist dat hij het niet meende. Ze hadden nooit eerder bezoek gekregen van de Pinkstergemeente uit Uppsala en ze kwamen vanwege mij.

Ik kreeg de volgende dag al antwoord. Het deed me vreemd genoeg minder dan de vorige keren om de envelop in de brievenbus te zien liggen. Ik pakte de brief, verstopte hem niet, maar hield hem in mijn hand alsof het de gewoonste zaak van de wereld was dat ik post kreeg. Ik was alleen thuis en dat droeg waarschijnlijk bij aan de rust die ik voelde. Ik had alle tijd. Birgitta was naar de supermarkt in de stad, en Urban en Ulf waren naar school. Sven kwam door de week niet voor zessen thuis en nu was hij bovendien bezig met een nieuw bord voor het badhuis.

Ik ging de hoek om en de keuken in, gooide de brief op het aanrecht met een gebaar waarmee ik aan mezelf liet zien dat ik helemaal niet bang was voor wat er in zou staan. Ik schreef brieven met mijn vader en nu was er weer een brief gekomen. Zo eenvoudig was het, sprak ik mezelf toe. Ik zette het koffiezetapparaat aan omdat ik voelde dat de situatie iets krachtigs vereiste, haalde kaneelbroodjes uit de broodtrommel. Birgitta had verse gebakken met amandelspijs erin, speciaal voor mij. Ze was zo blij vanwege Britta en mij. Ze had Anna-Lisa gezien, die had gezegd dat we zo'n goed contact hadden. Dat we een hele tijd op Britta's kamer met elkaar hadden zitten praten.

Waarom had ze dat gezegd? vroeg ik me af. Schaamde ze

zich omdat ik zomaar weg was gegaan?

Ik pakte een kop en schonk koffie in, deed er een heleboel melk bij en ging aan tafel zitten. Terwijl ik het kaneelbroodje at en koffiedronk, liet ik de brief op het aanrecht liggen. Buiten sneeuwde het. De volgende dag was het 1 december. Birgitta had de adventskrans al tevoorschijn gehaald en de eerste kaars aangestoken, en Sven had uitgelegd dat Kerstmis betekende dat je samen was met je familie en kaarsen brandde om licht te brengen in het donker. Hij vertelde niets over de geboorte van Jezus, maar tijdens de adventsdienst in de kerk had ik wel gezangen gehoord over de ster die scheen op Betlehem.

Ik dronk mijn koffie op, zette de kop in de afwasmachine en nam de brief mee naar mijn kamer.

Geen sneller kloppend hart. Geen ademnood. Ik was hier gewoon met de brief van mijn vader. Ik maakte de envelop open, haalde de brief eruit en las:

Overdag ben ik meestal in Balder. De ontmoetingsruimte. Daar praten en kaarten we met elkaar. Biessmarck. Ik win altijd. De anderen zijn kansloos. Maar ik vind het toch leuk om te spelen. Tegen elven komen de pillen en daarna gaan we eten. Het eten is best goed, Anna. En tegen drieën ben ik meestal weer terug op de afdeling en als het mag, help ik in de keuken met het avondeten. Om vijf uur eten we en daarna ga ik vrij vroeg slapen. Ik vind dat er niet zo veel leuks is op televisie. En ik sta vroeg weer op. En dan ga ik ongeveer om half tien op pad.

Mijn naam. Hij noemde me bij mijn naam. Mijn handen deden pijn, zoals altijd voordat er tranen kwamen. De huilbui overmeesterde me, drukte zich door mijn ogen naar buiten en langs mijn wangen omlaag. 'Het eten is best goed, Anna.' Ik las de zin keer op keer terwijl de tranen stroomden. De tranen duwden me op mijn bed. Ik huilde in mijn kussen, snikte nu. Mijn lichaam schokte van het snikken. Papa, zei ik hardop in de kamer. Papa. Papa. Van nu af aan zou Sven alleen maar Sven zijn. Het woord 'papa' behoorde toe aan mijn vader en mij. Was het vertrouwelijker? vroeg ik me door mijn tranen heen af. Papa. Het klonk alsof ik tegen hem aan leunde, dichtbij, dichtbij. Papa was als een rustig, welbekend licht, als warmte, als een vertrouwelijke blik.

Ik ging door met lezen, het was een lange brief:

Mijn moeder ging dood toen ik dertien was en daarna veranderde mijn leven behoorlijk. Göran en Märta gingen naar pleeggezinnen in Skellefteå, terwijl ik naar mijn jongste tante, Annie, in Mölndal ging, waardoor de familie een beetje uit elkaar viel.

Mijn vader bleef in de woning aan de Nygatan 95A in Skellefteå wonen. Toen helemaal in zijn eentje. Hij was alcoholist en dronk zo veel dat je niet bij hem kon wonen.

Ik leerde in Mölndal een meisje kennen dat bijna van school af was. En in Mölndal was het zo dat de jongens in de ene klas zaten en de meisjes in de andere. Je kon ze niet in dezelfde klas hebben. En toen had ik een half jaar verkering met dat meisje Kerstin Berntsson van Gustavsberg 524, Mölndal 2. En toen ging Annie op een schaatsclub in

Vålådalen, mijn tante dus bij wie ik woonde. En dan waren dat meisje en ik samen alleen thuis en wilde zij met mij naar bed. En mijn oom had gezegd dat dat heel gevaarlijk was want dan konden er kinderen komen dus ik zei nee, zei ik. En toen dreigde ze ergens mee en toen zei ik dat ik dan terugging naar Skellefteå, zei ik tegen haar. En toen zei zij: 'Dat durf je toch niet.' En alleen maar omdat zij dat zei, pakte ik mijn koffer in en ben ik teruggegaan naar Skellefteå en ik wist nog waar ik moest overstappen en daar deed ik een brief op de post aan de directeur van mijn school dat ik van school af was. En zo was ik op mijn veertiende terug in Skellefteå.

Wij gingen alle drie in de flat op Nygatan 95 wonen. Vader Birger was naar de rand van de stad verhuisd. En we hadden geen volwassene in de buurt maar kregen hulp van een mevrouw van het maatschappelijk werk, ze heette Jansson en ze kwam uit Bureå. Dat was twintig kilometer ten noorden van Skellefteå. Zij maakte eten voor ons klaar en van mevrouw Jansson kregen we drie jassen, voor ieder één.

's Zomers werkte ik in de stoombrouwerij, waar je flesjes mee naar huis kreeg, drie per dag, dus dat werden er eenentwintig in de week en dat vonden Göran en Märta prima. We waren niet zo verwend. En toen ik zeventien was ben ik dus gaan dansen, en bij die dansavonden werd behoorlijk gedronken. Ik herinner me een avond dat ik niet naar huis wilde gaan naar Göran en Märta, en toen ben ik op zolder in een hoekje weggekropen. Helemaal bovenin was er een kleine opening, verder was er gaas en toen ben ik daar gaan slapen. En ik ging pas weer naar beneden toen ik nuchter was.

Alcohol, dacht ik. Naar bed? Ik las de brief een aantal keer voor ik hem terugstopte in de envelop.

Birgitta kwam door de voordeur binnen. Ik hoorde het geritsel van plastic tasjes en hoe ze hallo riep.

Ik riep hallo terug, deed het deurtje van mijn nachtkastje open en legde de brief bij de andere.

Ik moest hem zien.

'We gaan een Indonesische kipschotel maken', zei Birgitta ernstig terwijl ze ons een voor een aankeek.

We waren alle vijf in de keuken. Urban, Ulf, Sven, Birgitta en ik.

'Ik heb de boodschappen gedaan en de kip opgezet, maar de rest doen we samen', zei Birgitta.

Op het aanrecht stond alles uitgestald. Room, bouillon, prei, kruiden, pinda's.

'Ulf en Sven kunnen de saus doen. Ik heb het recept daar op de deur van het kastje gehangen. Urban, jij kunt wel gaan tafeldekken, dan kun je straks de kip van het bot halen. Anna, jij doet de toebehoren. Kijk maar op het recept. Ik doe de vruchtensla en help overal een beetje mee.'

Iedereen deed zijn best om Birgitta een plezier te doen. Ik had het gevoel dat het belangrijk was om het tempo erin te houden, dat pauzeren of nadenken alles in de war zou kunnen gooien. Dat de opeenvolgende handelingen ervoor moesten zorgen dat Birgitta niet zou breken. Zij had zo haar best gedaan. Het moest lukken, dacht ik, terwijl ik Ulf aan het werk zag met de saus, hoe hij bouillon en room mengde met kerrie. Het was alsof iedereen instinctief de ernst van de situatie inzag. Urban sneed het kippenvlees los met zijn eigen mes, dat hij altijd gebruikte bij het vissen; Sven hakte de prei. Ik keek tersluiks naar Birgitta's gespannen kaken en glanzende ogen terwijl ik bananen in plakjes sneed die ik in een schaal legde. Daarna de geraspte kokos erbij en de pinda's en de chutney.

Birgitta stak de kaarsen aan en versierde de tafel met bloemen. We aten exotische vruchten toe. Papaja, mango, ananas.

'Wat is dit?' vroeg Sven, die een soort oranje kers omhooghield.

'Physalis', zei Birgitta. 'Komt uit Sri Lanka.'

Toen alles op tafel stond begon Birgitta te huilen. Ulf zuchtte hardop en Urban sloot zich in zichzelf op.

'Het is heel erg lekker, Birgitta', zei ik. 'Het lekkerste wat ik ooit heb gegeten.'

Het was waar. Het smaakte heerlijk. Bovendien wilde ik dat ze zou ophouden met huilen.

'Ik ben alleen maar blij', huilde ze. 'Jullie zijn fantastisch. Sorry.'

'Het geloof in God geeft ons hoop. Hoop dat alle mensen zich met God verzoenen en in gemeenschap met God zullen leven. Hoop dat geen enkele situatie in het leven zo zwaar is dat God die niet kan verlichten. Hoop op genoegdoening van zowel de innerlijke mens als van onze lichamen en de verhoudingen waarin wij leven. Een genoegdoening die wij nu al kunnen smaken, maar die haar volle omvang bereikt aan gene zijde van het graf, als wij van aangezicht tot aangezicht met God staan. De hoop betreft genezing van de hele wereld in de wetenschap dat Jezus Christus terug zal keren.'

Ik zat in de kamer achter de kerkzaal naar Eriks inleiding te luisteren. Het voelde alsof alles in mij wrong en draaide. Mijn handen trilden. Birgitta had mijn haar geborsteld en het in twee vlechten gevlochten en me een grijze wollen rok aangetrokken, een wit bloesje en een fijn gebreide rode wollen trui. Erik had mij naar het kamertje gebracht, lang voordat hij de mensen zou verwelkomen. Hij wilde niet dat ik zou merken hoe vol de kerk was. Ik mocht niet zien hoe hij de dominee van de Pinksterkerk in Uppsala ontving. Alles is net als anders, had hij keer op keer herhaald om zichzelf te overtuigen. Maar dat was niet waar. Alles was anders. Ze zouden mij vertonen. Erik wilde indruk maken op de Pinksterdominee die helemaal hiernaartoe was gereisd om naar mij te luisteren. Erik had aan Sven gevraagd of hij met mij naar Uppsala mocht, maar toen had Sven nee gezegd.

Nu zongen ze over de hemelse engelen en de hel waarin je zou branden als je niet het ware geloof had in Jezus Christus.

Daarna zou Erik voor de gemeente bidden. Daarna kwam ik.

Uit mijn ooghoeken zag ik vlammen, toen ik naar het spreekgestoelte liep. Mijn tong voelde stroef en stijf, alsof hij te groot was voor mijn mond. Elke keer dat ik met mijn ogen knipperde, was er een rood waas achter mijn oogleden. Het was alsof ik vanwege het rode niet durfde te knipperen, maar ten slotte moest ik wel. Erik hield mij bij de arm, het was alsof hij mij staande hield, alsof ik zonder hem niet kon lopen. Ik durfde niet naar de gemeente te kijken, maar voelde wel haar aanwezigheid. Ik wist dat het vol was in de kerk, zo vol dat veel mensen moesten staan. Ik keek naar de grond en het was alsof Erik me sleepte. Mijn benen waren slap en deden niet wat ze moesten doen. Ik moest tegen mijn lichaam zeggen wat het moest doen: knipperen, nog een stap, en nog een. Bij het spreekgestoelte hield ik me zo stevig vast dat mijn knokkels wit werden. Ik knikte naar Selma bij het orgel.

De woorden kwamen. Ik snikte van opluchting. Ze kwamen met zo'n geweld dat ik het gevoel had dat ik de woorden niet bij kon benen, alsof ze mij achter zich aan trokken. Ik had geen tijd om te slikken, want de woorden die naar buiten wilden zaten in de weg. Ze kwamen met stoten als snikken naar buiten en waren zo krachtig dat ik ze wel moest schreeuwen. Ik schreeuwde in de kerk en dacht aan de dominee uit Uppsala en Sven en Birgitta en de jongens die daar ergens zaten, ik trok me niets aan van de duizeligheid die kwam, want nu was ik samen met de woorden zonder einde. We hielden elkaar bij de hand en liepen over een grote weide. Het woei en het licht was zo scherp dat we onze ogen dicht moesten knijpen, en in de verte zagen we bruinverbrande bergen en we liepen de bergen in helemaal tot aan de plek waar de zee wachtte. We vielen. Vielen samen in de zee.

Toen ik wakker werd lag ik weer in het kleine kamertje achter de kerkzaal. Erik boog zich over mij heen en ik keek in zijn ogen en dacht, nee. Nooit meer.

Sven kwam, en Birgitta, Ulf en Urban. Iedereen kwam naar het kleine kamertje en ik hoorde als uit de verte hoe Sven met Erik besprak dat dit niet goed voor mij kon zijn. Hij was ongerust. Toch drong zijn stem maar nauwelijks tot me door, zoals ik daar omhoog lag te kijken naar het gewitte plafond. Er hing een scherpe geur en ik probeerde te begrijpen wat het was. Ulf ging op zijn hurken naast mij zitten. Hij glimlachte, dat kon ik voelen. Het was een glimlach die mijn gezicht raakte en zich daar uitspreidde en mij warmde.

'Anna', zei hij. 'Anna. Ik hou van je.'

Wat zei hij? Plotseling was hij weg en Urban hurkte naast me en zocht mijn ogen.

'Anna. Hoe is het met je?' Hij praatte even langzaam als altijd. 'Anna, ik wil je vertellen wat de dominee zei. De kerk is leeg. Iedereen is naar huis, Anna. Ik zal het aan je vertellen, maar eerst moet je opstaan.'

Urbans stem. Van die hield ik het meest, dacht ik. De manier waarop hij zijn lippen rond de woorden vormde, op de een of andere manier precies en mooi. Er was helemaal geen twijfel, alles lag klaar, te wachten. Hij nam mijn handen en trok me omhoog zodat ik op de bank zat. Hij zat op zijn hurken voor me, bleef mijn handen vasthouden.

'Anna. Het was niet de bedoeling dat ik zou horen wat ze tegen elkaar zeiden. De dominee en de anderen uit Uppsala. Ik stond vlakbij.'

Zijn ogen die zich in mij boorden. Urban en ik, alleen, met de anderen ergens aan de buitenkant.

Nu luisterde ik naar hem. Naar de woorden en de klank ervan. De hele kamer zong. We keken nu naar elkaar en onze blikken hielden elkaar vast. Een ogenblik dat eeuwig duurde. Toen zijn woorden kwamen, was het alsof ze uit de hemel vielen.

'Je praat niet in tongen, Anna. Het is Grieks.'

TWEEDE DEEL

IK HERINNER ME de rit in de taxi. En de kamer waar we in
gingen. Urbans hand op mijn schouder. Hoe die daar stevig
lag. Rustig. Zo rustig als alleen hij was en hoe we gingen zitten op twee stoelen met plastic hoezen. Er kwamen drie mensen de kamer in. Ze stelden zich aan me voor en ik staarde ze
aan, probeerde te begrijpen wat ze zeiden. Ik had al een hele
tijd geen andere mensen dan mijn familieleden gezien en deze
waren zo licht. Zo licht in hun jassen en met hun netjes naar
achteren gekamde haren.

'Ik heet Bengt en ik ben hier de stafarts. Je broer maakt zich
ernstige zorgen over je.'

'Ik ben Mats, co-assistent.'

Hij was blond en lachte me met al zijn tanden toe. Ik was
bang voor hem. Zijn bovenlichaam zwaaide een beetje heen
en weer toen hij rechtop ging zitten. Er hingen met de hand
geweven gordijnen die hun best deden de ramen te bedekken,
maar er kwam toch een streepje licht naar binnen, dat over de
dokter heen viel en hem in tweeën leek te delen, waardoor hij
een lichte en een donkere kant had.

De laatste die zich voorstelde was Artan. Hij was verzorger, zei hij met een stem die vibreerde in de kamer. Een stem
waarnaar je wilde luisteren, kon ik nog net denken terwijl zij
daar voor ons zaten als drie rechters die mij zouden berech-
ten. Hoe was ik hier terechtgekomen?

Urban had me aangekleed en gezegd dat we naar het ziekenhuis gingen, dat dat de enige oplossing was. Hij vroeg me
hem te vertrouwen. Hij had hen gebeld.

'Zoals ik al zei, je broer is erg ongerust over je. Kun je vertellen hoe je je voelt?'

Die vraag was aan mij, hij kwam als een speer door de kamer aan gesuisd.

'Kun je dat vertellen?' vroeg Bengt, die zijn ene been over het andere sloeg. Hij bleef me aankijken, waardoor ik mijn ogen dicht moest doen. Achter mijn oogleden zweefden Bengt, Mats en Artan als geesten rond. Ze zweefden door de kamer en het was Urbans hand die mij terughaalde. Hij omhelsde me plotseling stevig. Hij hield me vast alsof hij me nooit meer los wilde laten, wat hij met de omhelzing waarschijnlijk ook wilde zeggen. Ik laat je niet gaan. Ik zal je nooit laten gaan. Ik deed mijn ogen weer open. Ze zaten stil op hun stoelen maar het leek of ze zich verdubbeld hadden, alsof ze op z'n minst met z'n zessen waren.

'Mijn zus praat al een hele tijd niet meer', hoorde ik mijn broer uit de verte zeggen.

'Hoelang geleden heb je voor het laatst gepraat?'

Ik probeerde iets in mijn keel weg te slikken. Ik zag voor me hoe Bengt me zou slaan als het niet lukte. Ik zag Artan, die me aankeek met een blik die niets van mij wilde. Maar toen ik weer mijn ogen dichtdeed, kneep Urban in mijn hand.

'Wij zijn hier allemaal om jou te helpen', zei Bengt, terwijl de co-assistent en Artan instemmend knikten.

Urban keek me aan. Zoals hij mij aankeek met die tranen in zijn ogen.

Ik keek naar de deur achter hen. De deur waardoor ik was binnengekomen. Hoe was dat in zijn werk gegaan? Ik herinnerde me niet dat ik erdoor was gegaan. Hadden ze me gedragen? Ik keek naar Urban. Hij keek ernstig terug. Alsof hij me met zijn ogen iets wilde zeggen wat de anderen niet hoefden te horen. Dat ik hier zou blijven. Dat was wat hij zei. Precies dat. Ik hoorde hoe de woorden zich een weg baanden uit zijn ogen, zag ze als kleuren. Hij kleurde met zijn verzoek de kamer rood. Hij smeekte me. Ik bleef hem aankijken. Dat was het enige wat ik kon. Alleen hij was er. Zo was het en zo zou het altijd blijven.

'Je kunt dus niet praten', zei Bengt.

Hij wendde zich tot de co-assistent. 'Antwoordlatentie niet waarneembaar.' Bengt schreef in een blocnote. De pen kraste in mijn binnenste, sneed in mij en ik zag het bloed uit me stromen.

'Kunnen jullie mij helpen dood te gaan?'

Die wens sprak ik luid en duidelijk in de kamer uit. Hij kwam van diep binnen in mij en stuiterde tussen de muren heen en weer. Ik wist dat dat was wat ik wilde en nu ik het wist, zou ik het nooit meer vergeten.

Bengt leunde naar voren. Hij probeerde mijn blik te vangen, maar dat lukte niet want ik keek omlaag naar mijn handen. Urban huilde. Ik hoorde hoe hij huilde, het deed pijn van binnen want dat gevoel wilde ik hem helemaal niet geven, maar het was het enige wat ik had. Het enige wat waar was.

'We gaan je helpen te leven', zei Bengt.

'Nu begrijp je dat niet, maar er is een leven voor je, een goed leven dat op je wacht', zei Artan en het was alsof de hele kamer ademhaalde omdat hij zo lang gesproken had.

'Zullen we dat afspreken, Anna, dat je een tijdje hier blijft?'

Ik kon mijn mond niet opendoen. Maar ik keek Urban aan

zodat hij zou begrijpen dat ik weigerde. Hij moest het allergrootste doen wat je voor een ander kan doen, hij moest mij helpen dood te gaan.

'Dan spreken we dat af', zei Bengt, die blijkbaar vond dat het gesprek lang genoeg geduurd had.

Ze stonden alle drie op en staken me hun hand toe zodat ik die zou pakken en schudden, maar dat kon ik niet. Ik kon me niet bewegen, het was Urban die thuis mijn winterjack over mijn nachtjapon had gesjord en de veters van mijn hoge schoenen had gestrikt. Ik had mijn voet opgetild om hem te helpen. Misschien was ik het er wel mee eens geweest? Nee. Ik had het alleen maar voor hem gedaan. Alleen daarom.

'Artan zal je de afdeling laten zien.'

Ik keek naar Urban, smeekte hem met mijn ogen, maar ik zag dat hij mij had losgelaten. Mij aan deze drie had overgedragen. Aan het hele ziekenhuis. Dat hij zijn handen van mij had af getrokken en dat hij moest rusten omdat hij zo'n zware last had gedragen.

Ik hield hem tegen. Klampte me aan hem vast. Ik schreeuwde van binnen. Maar niemand kon me horen, dus hij ging. Hij liep de deur uit, nadat hij had gezegd dat hij me zou komen opzoeken. Voorlopig iedere dag.

'Je kunt nu beter gaan', zei Bengt. 'Het heeft geen zin het te rekken.'

Het geluid van de deur. Ik was alleen. Ik was eenzamer dan ik ooit geweest was en ik viel. Viel door mijn lichaam naar waar de goud omkranste stilte was.

'Kom', zei Artan, die mij van de vloer optrok en vasthield zodat ik bleef staan.

'Nu gaan we lopen', zei hij toen. 'Stap voor stap. De ene voet voor de andere. Goed zo.'

We liepen door een gang. Banken met roze en wit gestreepte bekleding en kleine tafeltjes, nummers op de deuren van de kamers. Bij een tafel zaten een paar mensen een spelletje te doen. Ik kon niet naar ze kijken, maar een vrouw met een scheve lok stond op en ging voor me staan.

'Ik heet Petra.' Ze keek in haar papieren. 'Jij bent toch Anna? Ik heb vanavond dienst. Heb je huisdieren?'

Zou Artan weggaan? Wie was deze Petra? Ik viel opnieuw, maar Artan ving me op en droeg mij het laatste stukje naar een kamer.

'Vannacht slaap je in de spreekkamer', zei hij. 'De afdeling is vol, maar morgen krijg je een echte kamer.'

Petra kwam achter ons aan, haalde de telefoon uit het stopcontact en ging weer weg. Er was een kleine slaapbank, een tafel en ook een piano.

'Het is laat, dus vanavond krijg je je eten op een dienblad op je kamer. Normaal gesproken eten we met z'n allen in de zaal. Dat is een belangrijk deel van de behandeling. Dag, Anna, ik ben er morgen weer. Slaap lekker.'

Hij deed de deur achter zich dicht.

Ik ging op de slaapbank zitten. Artan was weg en ik had maar één gedachte. Ik kan hier niet blijven. Ik kan hier niet blijven. Ik ging op het bed liggen en trok de deken over me heen. Ik deed het terwijl ik het eigenlijk niet kon. Ik deed mijn ogen dicht, alles in mij kriebelde en ik voelde druk op mijn borst. Waarom ging ik daar niet aan dood? Het was alsof een reus met zijn voet op mijn borstkas stond en die indrukte. Ik keek naar de groene stof van de slaapbank tot het zo donker werd dat de kleuren vervaagden en er op de deur werd geklopt en Inga binnenkwam die zei dat het nu nacht was. Nacht, dit was dus de nachtzuster, want ze had een blad met medicijnen bij zich. Ik moest zowel pillen als druppels slikken.

'Zodat je kunt slapen, meisje, en tegen de paniek.'

Paniek? Was dat wat het was, paniek? dacht ik in het donker.

'Alles doorslikken en voorlopig zo min mogelijk proberen na te denken. Vertrouwen hebben dat het beter wordt.'

Ik zei niets, maar slikte alles wat ze me gaf. Ik werd alleen gelaten in mijn bed en ik voelde hoe de voet van de reus langzaam verdween en er zich een soort watten laag om mijn gedachten vormde.

Het werd ochtend. Ik was wakker. Nee. Ik was wakker. De voet van de reus was overal, kwam binnen en stampte, drukte alles plat. Er viel licht naar binnen in het kleine kamertje. Er was geen rolgordijn, er hing alleen maar een groen gordijntje langs de bovenkant van het raam. Wat moest ik doen? Waar was Urban? Het gevoel van gemis rukte en scheurde aan mij. Maar zijn aanwezigheid zou niets beter maken. Dat wist ik zoals een mens weet dat de zon de volgende dag op zal gaan. Ik had een zachte witte nachtpon aan met een blauw merkje op de borst. Wanneer was dat gebeurd? Wie had me mijn eigen nachtpon uitgetrokken en hem voor deze omgewisseld?

Ik ging op de vensterbank zitten om naar de lucht te kijken, die wit was en gevuld met sneeuw die straks zou vallen. Ik durfde niet naar de wc hoewel ik nodig moest. Ik kon deze kamer niet verlaten, net zomin als ik er kon blijven.

Ik bleef zitten tot er op de deur werd geklopt en Artan binnenkwam.

'Goeiemorgen, Anna. Wil je nu deze kleren aantrekken? Ik wacht twee minuten buiten en dan kom ik weer binnen.'

Hij legde een wit T-shirt neer en een lichtblauwe trainingsbroek, een onderbroek en een paar sokken, en ging toen weg. Ik keek naar de kleren die hij op de slaapbank had gelegd. Meer kon ik niet. Toen Artan weer binnenkwam, keek hij van mij naar de kleren en zei dat hij een vrouwelijke verzorgster zou halen als ik niet in actie kwam.

'Je kunt het net zo goed zelf doen. Je moet je toch aankleden, opstaan en ontbijten. Ik draai me om, dan kleed jij je aan.'

Ik deed wat hij zei. Waarom weet ik niet, misschien omdat ik aan de vrouw met de schuine lok dacht, of aan Inga, wier stem mij in het donker aan het schrikken had gemaakt. Ik trok de kleren een voor een aan. Toen ging ik op de slaapbank zitten, alsof de inspanning van het aankleden mijn laatste krachten had verbruikt.

'Kom mee', zei Artan. 'Je moet naar de wc en dan ontbijten.'

Ik moest zo nodig dat er geen einde aan de stroom leek te komen. Ik zat daar terwijl ik voelde hoe het water uit mijn lichaam stroomde en dacht dat er daarna vast niets meer over zou zijn, maar dat was wel zo. Ik ontweek de spiegel, trok met mijn blik op het zeil met rode stippels mijn onderbroek en trainingsbroek omhoog. De wc-deur kon niet op slot, maar toen ik klaar was, klopte ik toch op de deur om eruit gelaten te worden. Ik wilde nergens naartoe, dus Artan hield me vast en leidde me naar de ontbijttafel, waar bijna alle stoelen al bezet waren. Ik voelde hoe ze naar me keken. Ik hield mijn ogen strak omlaaggericht zodat mijn blik niet kon afdwalen. Artan moest me zachtjes op m'n stoel duwen, het tafelblad was afgesleten, dat zag ik wel. Artan haalde yoghurt en cornflakes en een boterham met kaas voor me, en daarna kwam hij met sinaasappelsap en thee.

'Nu eten', zei hij.

Ik tilde mijn lepel langzaam op, doopte hem in de dunne yoghurt met cornflakes en bracht hem naar mijn mond. Nam een hap. Het deed pijn in mijn keel want ik vergat op de cornflakes te kauwen. Ik deed het opnieuw, en dit keer probeerde ik wel te kauwen. Slikte. Het ging. Een hap en toen nog een, terwijl Artan de hele tijd naast mijn stoel stond, als een soort beschermer. De boterham met kaas was lekker. Ik kon niet bedenken waarom het lukte hem helemaal op te eten zonder dat het me ging tegenstaan. Ik dronk de sinaasappelsap ook op en proefde de thee.

'Goed zo, Anna', zei Artan. 'Zo dadelijk komen de dagmedicijnen en daarna ga je douchen.'

'Nee', zei ik.

Het kwam zomaar, dat nee. Ik wilde niet. Ik wilde niets. Ik wilde nergens zijn.

'Je kunt beter wel douchen dan niet douchen', zei Artan.

Ik keek hem aan. Keek hem in zijn donkere ogen en bedacht wat die gezien hadden. Eén seconde moest ik daarover nadenken. Toen was het weer gewoon zwart. Alsof ik me afsloot van de wereld die bij mij naar binnen wilde. Iedereen die aan tafel zat staarde me aan, dat kon ik voelen, hoe hun blikken mij beetje bij beetje opaten.

Ik kreeg een plastic beker met pillen in verschillende kleuren en een grotere beker met water om ze mee door te slikken. Artan hield zijn hand op mijn schouder, waarmee hij leek te zeggen dat ik nu mijn medicijnen moest nemen om beter te worden. Je wordt beter, zei die hand, maar het duurt een tijdje. Heb je tijd, Anna? Heb je het geduld dat nodig is om weer gezond te worden? Ben je sterk genoeg? vroeg de hand. Ik wist het niet, dus ik zei de waarheid, dat ik het niet wist, maar ik nam wel de pillen en slikte ze met water door.

De minuten voelden als jaren en het ging niet, ik kon niet in zo'n tijd zijn die niet bewoog, die op één plek leek te blijven staan, en mijn enige gedachte was dood te mogen gaan, de draden naar de tijd voor altijd stuk te trekken. Maar eerst moest ik douchen. Artan sprak me zacht en tegelijkertijd streng toe en hij duwde me voorzichtig in de richting van de doucheruimte en weer wachtte hij buiten. Het water spoelde over me heen. Warm, zo warm als mogelijk was zonder me te branden, maar zo warm kon ik het water niet krijgen. Ik waste mijn haar en wist niet wanneer ik dat voor het laatst gedaan had, op het laatst hadden ze me maar gelaten, Urban, Ulf, Birgitta en Sven. Mij in mijn bed laten liggen en door de dagen en nachten laten drijven waar geen verschil meer tussen was. Birgitta had me gevoerd, maar het ging beter met Urban, dus uiteindelijk had hij alles moeten doen, maar hij had me niet gewassen. En Birgitta had het waarschijnlijk niet gedurfd. Ik pompte shampoo uit een pompflesje dat aan de muur was vastgemaakt en trok mijn vingers door mijn geklitte haar, trok en trok totdat alle klitten los waren. Mijn lichaam zeepte ik in met zeep die ook aan de muur vastzat. Ik waste mijn hele lichaam en bedacht hoe vreemd het was dat ik dat kon terwijl ik het niet wilde. Dat ik deed wat Artan had gezegd hoewel mijn hele wezen iets anders wilde.

Artan gaf me een extra handdoek voor mijn haar waar ik niets mee deed, dus hij droogde mijn haar en samen liepen we naar een voorraadkast waar hij een borstel uit haalde en schone kleren.

'Het is beter als je je eigen kleren hebt', zei Artan. 'Maar dat komt wel. Nu hoef je alleen maar aan dit moment te denken. Voel je iets van de medicijnen?'

'Nee', zei ik terwijl ik me afvroeg waarom ik loog tegen Artan. Want ik voelde heel goed hoe er iets stil werd van binnen.

Ik loog omdat ik niet van plan was te blijven. Ik wilde naar huis, waar ik een manier zou vinden. Een manier die zich als een openbaring aan mij zou voordoen.

'Ik zal je laten zien waar je naartoe gaat. Naar kamer 4, je komt op de kamer bij Sara. Ze is een beetje ouder dan jij en heel rustig, dus dat gaat vast goed.'

Artan leidde me naar een kamer met lichtblauwe muren en twee bedden erin en de ene helft van de kamer was koud, met alleen een bed en een nachtkastje en een lege kast, en de andere helft was gezellig gemaakt met allerlei spullen: er stonden een eland en een hert op de vensterbank, met de ringen van die Sara aan het gewei, en aan de muur hingen tekeningen van een boom en van een gezicht met rode wangen en een blauwe mond, en op het nachtkastje lagen stapels tijdschriften.

Moest ik hier blijven? Met een ander?

'Nee', schreeuwde ik. 'Nee, nee.'

Ik schreeuwde en liet me op de grond vallen, bonkte met

mijn hoofd tegen de vloer tot Artan me te pakken kreeg en vasthield terwijl hij ondertussen naar achteren liep en op de alarmknop drukte. Plotseling was de kamer vol mensen en ik kreeg een prik en het was alsof ik een harde klap tegen mijn achterhoofd kreeg of dat ik geschopt werd, keer op keer op keer.

Ik werd wakker omdat ik me niet kon bewegen. Ik was vastgebonden en Urban zat naast me.

'Anna', zei hij. 'Je moet vertrouwen hebben. Dat is het enige wat nodig is.'

Artan zat ook in de kamer. Waarom vond ik dat hij er moe uitzag?

'Ik heb chocola en druiven meegebracht', zei Urban. 'Ik wil dat je die eet en doet wat ze zeggen, Anna. Als je het niet voor jezelf wilt doen, doe het dan voor mij. Ik ben hier en ik laat je niet in de steek. Maar je kunt nu niet thuis wonen. Je bent een gevaar voor jezelf.'

Een gevaar voor mezelf? Wist Urban iets over de draden die ik stuk wilde trekken? Je wist het nooit met Urban. Ik kon me niet verroeren, kon alleen maar luisteren naar wat hij zei. Er was iets in mij wat ogenblikkelijk tot rust kwam en het was iets anders dan wanneer ze de voet van de reus weghaalden met medicijnen, het was alsof ik houvast kreeg.

Bengt, de dokter, kwam de kamer in. Hij had haast, dat zag je ook al deed hij rustig. Hij ging op een stoel naast me zitten.

'Anna, zo gaat het niet. Wij willen je niet vastbinden, maar je moet niet weer zoiets doen. Je mag jezelf niet verwonden, dat spreken we nu met elkaar af. Oké? Je moet de dagen gewoon laten komen, een voor een, en je geen zorgen maken over wat je moet doen. Je wordt heus beter. Dat weten we. Daar moet je op vertrouwen. Een depressie gaat altijd over.'

Een depressie? Was dat wat ik had?

'Anna, nu maak ik je los en dan gaan Artan en Urban mee naar je kamer en daar blijf je tot het etenstijd is.'

Ik voelde hoe Artan eerst de banden aan mijn armen losmaakte, daarna die van mijn heupen en mijn enkels. Urban hielp me opstaan. Ik liep achter hem aan naar de kamer met het hert en de eland en ging op mijn bed zitten.

Urban maakte het doosje bonbons open en haalde van een bonbon het gouden papiertje af en hield me die voor. Ik deed mijn mond open en hij legde de chocola op mijn tong. Ik beet erop en voelde hoe de vulling samen met de chocola omlaaggleed door mijn keel. Samen aten we de ene bonbon na de andere. We zeiden niets. We kauwden, slikten en aten, tot het doosje leeg was.

Ik lag in mijn bed naar het plafond te staren. Er was een vochtvlek in de vorm van een bloem en mijn gedachten waren nergens want ik had mijn medicijnen geslikt. Sara lag op het andere bed in een tijdschrift te bladeren, maar ik dacht dat het wel zou gaan als ik naar de vochtplek bleef kijken. Buiten sneeuwde het, dat kon je zien ook al waren de ramen van plastic zodat je ze niet stuk kon slaan. Grote droge sneeuwvlokken vielen uit de lucht en ik dacht niet aan mijn ski's, en niet aan mijn familie die zo dadelijk aan tafel zou gaan, want daar kon ik niet meer zijn. Ik herinnerde me nauwelijks hoe het er was. Birgitta en Sven en Ulf waren ver weg, alsof ze bij een ander leven hoorden. Alleen Urban kon zich verplaatsen tussen beide werelden. Ik zag hem voor me. Hij roeide naar het eiland, waarop in mijn voorstelling het ziekenhuis lag. Misschien had hij meerdere levens, dacht ik, terwijl ik de veerman voor me zag die Urban een hand gaf om hem in de boot te helpen. Misschien reisde Urban wel met de dood zelf. Misschien betaalde hij iedere keer dat hij kwam met een stukje van zijn leven. Ik moet hem vragen niet meer te komen, dacht ik, en draaide me naar de muur. De muur was bobbelig door het structuurbehang en ik was blind en las met mijn vingertoppen:

Je zult de dood sterven.
Je zult de stille dood sterven.
Je zult de dood sterven.

'Jij bent het meisje dat niet praat', de stem maakte een scheur in de kamer. Sara met het hertengewei had iets tegen me gezegd.

'Is er iets mis met je spraakorgaan?'

Ik stak mijn hoofd onder mijn kussen om haar buiten te sluiten. Ik kan hier niet zijn. Dat wist ik, maar er lag niets voor me, geen weg om te begaan. Het spoor eindigde op het eiland. Het was het eindstation en daar was ik. Ik kneep mijn ogen dicht en zag achter mijn gesloten oogleden de kleur geel overlopen in oranje en daarna in rood. Ik viel door een luik omlaag en lag samen met de oeroude slang in de waterput. We zouden elkaar ontmoeten en in de ogen kijken. Watertrappelend wachtte ik tot het gladde lichaam als één grote spier uit de diepte van de waterput omhoog zou komen, en beslist zou worden wie zou leven en wie zou sterven. Ik wist wie ik was. De dokter had het gevraagd en ik had het woord niet kunnen uitspreken in die kamer met plastic bloemen, groen met rode bessen, de stoelen met plastic hoezen en het kleine tafeltje ertussen, zodat je wist wie aan welke kant moest zitten. Wie gezond was en wie gek. Gek? Was ik dat, gek? Nee. Niet echt. Niet op die manier. Was ik verdrietig? had de dokter gevraagd. Hij merkte dat mijn ogen bij het woord 'verdrietig' begonnen te glanzen want hij leunde meteen naar voren om te vragen waarover ik verdrietig was.

Ik gaf geen antwoord. Hij zou niets uit mij krijgen in die kamer met de typemachine en de kleine icoon aan de muur. Was de stafarts gelovig? Geloofde hij in de liefde van God, net als de gemeente waaraan ik niet kon denken? Hij had rode varkensoogjes, dacht ik, en een droge huid. Er viel roos als regen op de revers van zijn jasje, lag daar als wit poeder.

Hij leunde weer naar achteren en zei: 'Ik weet dat je het kunt. Je kunt praten en je gaat weer praten. Nu is het donker om je heen en het is alsof je met gesloten ogen leeft, maar je moet ons laten hopen. We zien elkaar volgende week weer.'

Volgende week. Moest ik hier een hele week blijven, of nog langer? Was dit de tweede of de derde dag? Het voelde als levenslang.

Daar voelde ik het gladde lijf van de slang uit de put. Nu zouden we elkaar dus ontmoeten. De slang kronkelde zich om mij heen, trok me omlaag en de ogen van de slang waren groen en samen zonken we naar de bodem van de put, die bedekt was met planten en zeegras. We keken elkaar in de ogen en het was alsof ik in een spiegel keek. Ik zag mezelf op het moment van mijn geboorte, ik zag mezelf zonder alles wat er daarna bij was gekomen, ik zag mijn naakte leven, maar het waren niet de ogen van mijn vader waarin ik mij spiegelde, maar die van de slang, die zei dat dit mijn laatste ogenblikken waren, zo ziet de dood eruit, even kalm als een liefkozing, even oprecht als een geboorte. Nu dood ik je, zei de slang en ik stemde toe. Dood me. Dood me.

Ik wilde te graag, misschien was dat de reden waarom de slang verdween. Plotseling was hij weg en lag ik weer in mijn bed naar de muur te staren en naar Sara te luisteren.

'Ik ga bijna naar huis. Mijn moeder verlangt naar me. Ze wordt gek van verlangen en het gaat goed met mij. De dokter zegt dat ik stabiel ben. Ik weet nu dat ik niet met hem samen kan blijven. Want dat kon ik moeilijk loslaten. Ik accepteerde niet dat het voorbij was. Eerst had ik hier foto's van hem op de muur, maar die heb ik samen met Micke weggehaald. Micke heeft me geholpen. Hij is mijn eerste verantwoordelijke. Hij stuurt me weleens briefkaarten als hij op reis is. Micke is aardig, vind ik. Wie is jouw eerste verantwoordelijke? Artan, toch? Hij is veel te aantrekkelijk om op zo'n afdeling te werken. Hij is wel uitdagend. Vind je niet?'

Ik staarde naar de vochtplek op het plafond en probeerde te doen alsof ze er niet was, het hertenmeisje met het gewei en de ringen. Met haar blonde haar en haar wipneus. Haar pantoffels die eruitzagen als konijnen. Artan was er niet, het was op de hele afdeling te voelen als hij er niet was. Als Artan er was geweest, zou hij een scherm naar binnen hebben gerold zodat niemand me kon zien.

Ik leefde nog. Ademde in en uit. Het verbaasde me dat er ergens diep in het duister nog leven was. Dat mijn hart bleef kloppen, hoewel er geen plaats was omdat het in het donker omsloten werd door twee handen. Handen die zich elk moment konden sluiten rond de laatste slag. Alles kon het donker doen. Betekende dat dat er toch nog een straaltje hoop in mij was? Kwam het door Urban? Ik zou hem vragen niet meer te komen. Ik moest eraan denken dat vandaag tegen hem te zeggen. Dat het afgelopen moest zijn. Hij zou het begrijpen. Hij zou mij afstaan aan het donker als ik hem dat vroeg. Hij zou doen wat niemand anders kon.

Er werd op de deur geklopt en Sara's moeder kwam samen met de verpleegster binnen.

Haar moeder was even blond als Sara en opgemaakt. Haar mond was één rode zee. Ze ging naar Sara toe en sloeg haar armen om haar heen. De verpleegster, die Susanne heette, zei dat ze naar de spreekkamer moesten gaan om Anna niet te storen. Sara keek me triomferend aan, als om te zeggen dat zij wel bezoek kreeg, dat mensen wel van haar hielden en toen ging het groepje de kamer uit en lieten ze mij alleen achter.

Alleen. Ik was alleen, en bij het woord 'alleen' was er iets wat pijn deed, wat diep in mij een snaar raakte en nog voor de tranen kwamen, voelde ik de pijn. Tranen hoorden bij hoop, dat wist ik en ik probeerde de tranen terug te duwen, naar waar het stil was in mij. Ik wilde niets van tranen weten.

Op mijn tafeltje lagen nog een paar druiven en van één druif peuterde ik het schilletje af zodat alleen het vruchtvlees overbleef. Ik legde het voorzichtig in mijn mond en drukte het met mijn tong tegen mijn verhemelte kapot. Dat was iets wat ik kon doen. Ik kon deze druiven opeten. Maar ik mocht niet aan Urban denken, die ze had gekocht en voor mij had mee-genomen. Ik zou ze een voor een opeten. Ik pelde ze en legde de slappe schillen in een bergje op mijn nachtkastje en at en at. Ik at druiven tot Sara terugkwam. Het was duidelijk dat ze had gehuild want ze had zwarte vlekken onder haar ogen en haar hele gezicht was opgezwollen. Haar moeder was nergens te bekennen, maar Susanne was mee en ging naast Sara op het bed zitten en hield een tijdje haar arm om haar heen.

Waarom had ik medelijden met Sara? Waarom had ze een weg naar binnen gevonden? Ik wilde haar daar niet. Haar heimwee en haar hunkerende wezen.

Kwam het door het licht in mij dat ik met Sara meevoelde?

Ik vroeg Susanne om een scherm. Kon ik dat krijgen? Ja, misschien, zei Susanne. Ik zal het bespreken.

We aten die dag gepaneerde vis. Vis met aardappels en erwt-jes. Ik keek nog steeds alleen naar mijn bord zodat ik de an-deren kon buitensluiten. Het visvlees met het vettige korstje smaakte naar amandelen en boter. Ik prakte de aardappels in de boter net zoals ik thuis altijd deed. Thuis. Had ik ooit een thuis gehad? Was ik niet gewoon ergens ondergebracht? Ik leek toch niet op ze? We leken echt niet op elkaar.

Die gedachte ontweek ik nog meer dan alle andere gedach-ten. Het was een gedachte waar ik niet klaar voor was en ik begroef haar ver weg in mijn binnenste, ver weg in het donker. De vraag over mijn vader.

Had hij met de slang gestreden en de boot naar het eiland genomen? Terwijl ik wist dat de snelweg tot voor de deur liep en de buit als een stuk dood vlees in de wachtkamer kon worden achtergelaten? Als een doodgeschoten eland? Die vraag stelde ik niet. Ik prakte mijn erwtjes en mengde ze door de aardappels, ik kauwde en slikte. Als ik niet at, kreeg ik sondevoeding in bed en dit was beter. Susanne deelde knäckebröd uit. Het verkruimelde tussen je tanden en was moeilijk door te slikken, maar ik spoelde er water achteraan. Slikte en slikte.

Na het eten werd er tv gekeken in de woonkamer, of een spel gedaan in de gang, maar ik ging direct in mijn kamer op mijn bed liggen. Ik was alleen want Sara keek altijd televisie. De lakens waren gestreept in verschillende kleuren blauw, licht- en donkerblauw, en mijn kussen was krijtwit en rook lekker naar wasverzachter. Ik staarde naar de bobbelige muur en opeens miste ik de kaart van de Middellandse Zee.

Het gemis was als een plotselinge golf die over me heen spoelde en ik werd meegetrokken door de stroming onder het wateroppervlak. Werd heen en weer geslingerd tot ik vaste grond onder mijn voeten kreeg en wegrende voor de volgende golf zou komen. Nog een deur om dicht te houden. Ik deed hem dicht en sloot mijn ogen. Ik zag niets achter mijn oogleden, alles was zwart en zo wilde ik het houden. In het donker zijn dat zweeg, je niet heen en weer slingerde maar liet zinken, tot waar de stilte een grijze zee was zonder golven, met een oppervlak dat glansde als metaal. Ik zwom net in die zee toen er weer op de deur werd geklopt.

Het was Artan, die zonder vragen de kamer in kwam. Hij kwam binnen en ging op het bed zitten.

'Morgen gaan wij samen een wandelingetje maken. We

maken een rondje door het park van het ziekenhuis. Ik heb Urban gevraagd kleren mee te nemen. Het is koud op het moment', zei Artan.

Ik keek Artan aan om hem te laten begrijpen dat ik dat niet kon. Ik kon me niet bewegen. Ik vocht met de slang in de put en las de woorden op de muur. Ik zou doodgaan, omdat ik het zo graag wilde.

'Alleen wij maar', zei Artan. 'Het zal wel lukken. Wil je je avondthee op je kamer?'

Hij kwam met een blad met thee en een boterham met kaas die ik opat terwijl hij naast me op mijn bed zat.

'Mijn vader is vannacht gestorven', zei hij. 'We waren er allemaal en hij heeft zijn pasgeboren kleinkind nog gezien. We hebben haar op zijn borst gelegd en hij heeft haar vastgehouden. Een paar minuten later was hij dood.'

Wat zei hij? Was zijn vader doodgegaan? Had zijn vader het leven en de anderen bij hem in de kamer verlaten? Waar was hij naartoe gegaan? Was hij in de kamer gebleven en had hij gezien hoe ze hun ogen sloten en handen vouwden, of was hij gewoon weg? Wat had Artan precies meegemaakt? Zijn eigen vader. Dood. Hij was overgestoken naar de andere kant. Waar niets was, of was er wel iemand die daar op hem wachtte? Waarom was Artan hier bij mij en niet bij zijn familie? Ik probeerde iets te zeggen, trok aan de draden die voor taal zorgden, trok de woorden recht en haalde ze uit elkaar, en zei ten slotte: 'Gecondoleerd.'

Ik fluisterde maar hij hoorde het en keek me rustig aan en zei 'dank je wel', en de tranen waarvan ik niets wilde weten, liepen over mijn gezicht, stroomden uit mijn ogen vanwege die dood bij Artan en zijn vrouw en hun kleine kindje, dat nog nergens van wist, maar dat daar op de borst van de stervende man had gelegen terwijl die zijn laatste adem had uitgeblazen, toen zijn hart stil was blijven staan zoals de pendule van een klok, van de ene tik op de andere. Er zijn en er dan niet meer zijn, en Artans gezicht, hij moest ook huilen. De tranen kwamen en we huilden samen tot de tranen op waren en onze ademhaling rustig werd.

'Waarom ben je hier?' vroeg ik.

'Ik heb het geld nodig. En ik wil graag werken.'

'Vind je het hier fijn?' vroeg ik.

'Soms. Ik moet nu gaan', zei Artan. 'Straks komt de nacht-zuster en dan wordt het ochtend en gaan we een eindje wandelen.'

Artan ging weg. Ik lag in het donker en voelde de leegte die hij had achtergelaten. Hij had een leegte en de dood achtergelaten. Ik begreep dat alles wat ik eerder over de dood had gedacht niet klopte. Dat de dood niet iets was waar je om kon vragen. Die kwam naar je toe, als je hem tenminste niet zelf opzocht en je in een afgrond stortte, of te veel pillen nam. Dan zou hij komen en je hart doven zoals je een kaars dooft.

Artans vader was dood en ik leefde. Artan en Urban leefden. Mijn vader leefde. Ik telde de levenden en er brak een licht door dat al het leven dat ik in mij had omvatte, of ik het wilde of niet. Je hebt niet zo veel te vertellen over het licht en het donker. Was het niet merkwaardig dat de dood van Artans vader mij licht gaf? Moest het niet andersom zijn?

Ik dacht er een hele tijd over na dat Artan nu vaderloos was. Dat hij een vader had gehad, maar nu niet meer. Ik kon het niet bevatten. Kwam dat doordat ik zelf een vader had en me geen leven zonder hem kon voorstellen, ook al had ik hem alleen maar bij mijn geboorte gezien?

De nachtzuster kwam met mijn pillen en druppels, en Artans vader verdween en ik zonk door het bed omlaag en landde daar. Ik lag doodstil over het donkere landschap uit te kijken. Ik zag de bergen en de sterren aan de hemel en de zee met zijn luide zuchten over alles heen. Ik wilde me niet verroeren want dan zou Urban opduiken en me met zijn ogen vragen terug te keren naar het leven dat ik niet langer kende. Mijn ski's, en de geheelonthouding, de gemeente die me tot in mijn diepste wezen angst aanjoeg. Ik kon niet terug, nooit. Dan liever naar de zee luisteren en niets weten. Liever het structuurbehang aftasten met zijn De dood sterven, tot mijn ademhaling het waken verwisselde voor slapen en ik de rivier opvoer, helemaal alleen de bochten en meanderingen volgde en als een losgeschoten balk meestroomde op het schuimende water.

Ik werd midden in de nacht wakker. Ik was helemaal duizelig en mijn lichaam was zwaar, maar ik moest plassen, dus ik liep zwaaiend naar de deur en deed die open. Een verzorger die een krant zat te lezen, stond direct op en pakte me vast voordat ik zou vallen en hielp me op de wc. Ik plaste en bedacht dat ik honger had. Dat het midden in de nacht was en ik honger had. Ik veegde me af en leunde tegen de wastafel om mijn handen te kunnen wassen. De verzorger wachtte bij de deur op me, nam me bij de arm en liep mee naar mijn kamer. Ik stribbelde tegen. Nee, nee. Ik moest zeggen dat ik honger had, dat ik moest eten, maar ik kon het niet, dus ik belandde weer in mijn bed en de verzorger, ik had hem nooit eerder gezien, stopte me in en zei welterusten. Als ik kroop, zou het wel lukken, dacht ik en ik zette allebei mijn voeten op de vloer en begon op handen en voeten naar de deur te kruipen, en daar was de verzorger alweer die mij in bed wilde stoppen en ik fluisterde: 'Ik heb honger. Honger', zodat hij het hoorde.

Hij hielp me te gaan staan en ik leunde tegen hem aan.

'Voor deze keer', zei hij. 'Je moet eten als we 's avonds theedrinken. Ga zitten. Ik zal een boterham halen.'

Op de bank zaten nog twee andere verzorgers. Ze knikten me toe en ik begreep dat ze wilden dat het 's avonds rustig was zodat ze andere dingen konden doen. De verzorger bracht melk en een boterham. Ik at snel en dronk de melk op.

'Zullen we dat afspreken?' vroeg de verzorger die mij omhoogtrok.

Samen liepen we naar kamer 4, waar hij me als een stuk vlees afleverde en ik bedacht dat ik dat ook was. Had ik vannacht echt die wandeling over de afdeling gemaakt? Of was ik iemand anders geweest? Was ik Artans vader, die ronddwaalde omdat ik niet kon besluiten of ik ze verlaten zou of niet? De medicijnen trokken mij omlaag en ik zag hoe de kleuren met iedere ademtocht donkerder werden.

Ik werd wakker van de stralen van de douche, ik bleef lang onder het water staan dat over mij heen spoelde en spoelde. Ze hadden me uit bed moeten dragen, dat van die wandeling maakte me onbeschrijflijk bang. Het had met het leven te maken, waar ik niets van wilde weten. Artan had er vandaag niets over gezegd, had me gewoon naar de douche gebracht, maar ik wist dat hij het niet vergeten was, hoewel zijn vader dood was en alles. Urban moest kleren hebben gebracht terwijl ik nog sliep, misschien wilde hij me niet zien, misschien zag hij dat ik verloren was en nooit terug zou komen. De voet van de reus was er weer en drukte mij omlaag, ik had mijn pillen nog niet gekregen. Verlangde ik naar mijn pillen? Het werd altijd onrustig op de afdeling als de wagen met medicijnen kwam en de patiënten er als vogels omheen fladderden, er was altijd ten minste één verzorger nodig om iedereen van de verpleegster weg te houden. Voor mij kwam ze naar mijn kamer omdat ik niet uit bed kwam, maar ik hoorde het gedoe daar buiten en het maakte me bang.

Ik draaide de kraan dicht, zag de wasem op de spiegel en droogde me zorgvuldig af. In mijn kamer wachtten mijn medicijnen, die ik dankbaar aannam en slikte met water die de verpleegster uit een plastic kan in de beker schonk. Zo dadelijk zou de voet verdwijnen en zouden mijn darmen ophouden met kronkelen. Op mijn bed lagen een spijkerbroek, een gele trui, een paar kniekousen, een blauw donzen jack, wanten en een muts. Ik wilde niet naar de kleren kijken, maar ze lagen daar op mij te wachten. Artan gaf niet op.

Ik deed mijn gewone kleren aan en borstelde mijn haar tot alle klitten weg waren. Ik deed het in een paardenstaart en bedacht dat ik er misschien wel gewoon uitzag, maar dat dit niet de werkelijkheid was. Ik was verkleed als mezelf, maar zelf was ik heel ergens anders.

Naar de vloer kijkend liep ik naar de ontbijttafel. Ik had nog nooit met een patiënt gepraat, zelfs niet met Sara, hoewel zij soms wel tegen mij praatte, me vroeg wat haar het beste stond: de ene of de andere haarband, of wat ik van haar lippenstift vond, of donkere lippenstift eigenlijk niet oud maakte?

Ik at en wist dat Artan zich ergens op de achtergrond bevond. Ik had moeite met slikken en dreigde te gaan huilen, dus ik slikte en slikte en ten slotte had ik mijn eten op en voelde Artans hand op mijn schouder.

Ik stond daar te huilen met mijn muts op en jack aan, Artan boog zich voorover om mijn hoge schoenen dicht te maken. Daarna keek hij me aan en zei: 'Kom, we gaan. Met z'n tweeen. Alleen maar een klein rondje door het park.'

Ik bedacht hoe raar het was dat hij met mij kon wandelen terwijl hij eigenlijk thuis moest zijn en het voelde verkeerd. Ik huilde omdat ik niet durfde.

'Artan, ik durf niet. Ik durf niet.'

Ik snotterde en huilde en snikte, maar ik wist de hele tijd diep van binnen dat ik er niet onderuit zou komen. Dat niemand kon verhinderen wat nu ging gebeuren.

'Kom, we gaan', zei Artan.

Hij nam me bij de arm, hield zijn hand onder mijn elleboog en ondersteunde me, vastberaden. Er was geen spoor van twijfel bij Artan.

We gingen door de deur die altijd op slot zat, Artan maakte hem met zijn sleutel open en sloot hem daarna weer af. Het trappenhuis rook naar oude sneeuw. Het was een paar stappen naar de lift en Artan duwde me naar binnen. Er waren overal spiegels en opeens zag ik dat ikzelf een van de twee mensen in de spiegel was, waardoor ik schrok.

'Nee, nee', riep ik.

Ik sloeg naar hem, maar hij pakte mijn handen en keek me ernstig aan.

'Je slaat mij niet. Heb je dat begrepen? Nooit.'

De liftdeur ging open waardoor we bij de buitendeur kwamen, een stalen deur in het geelgeverfde trapportaal. Er lag een rubbermat met half gesmolten sneeuw erop. Daardoor zou het wel zo ruiken, en door de sneeuw buiten. Artan hield mij nog steeds bij mijn elleboog en duwde me voorzichtig voor zich uit.

'Prima. Een stap. En nog een stap. Zie je wel dat het gaat? Goed zo.'

Ik liep naast hem. Ik liep op een pad van grijs ijs waarop zand gestrooid was. Naast mij lagen heuveltjes sneeuw, want iemand had sneeuw geruimd. Het park was bedekt met wit en daar liepen we, Artan en ik. Ik rook de droge sneeuw, en de zon die de sneeuw deed smelten. Ik probeerde naar de grond te kijken, maar Artan zei de hele tijd: 'Moet je die vogels zien! En die struik daar!' En: 'Kijk eens om, dan zie je het ziekenhuis.'

Ik keek om en zag het rood-witte gebouw van een paar verdiepingen. Het leek wel een klein kasteel.

'Dit is waar je nu bent, maar niet voor altijd. Je wordt weer beter.'

'Ben ik nu ziek?' vroeg ik want ik dacht dat het misschien goed was om te weten.

'Ja, nu ben je ziek. Je bent somber.'

'Is dat als je dood wilt gaan?'

'Ja. Onder andere', zei Artan, voor hij mij wegdraaide van

het ziekenhuis en me naar de kiosk daar beneden en de weg liet kijken.

Ik kon niet meer. Hoelang waren we buiten? Vijf minuten?

'Artan', zei ik. 'We moeten terug.'

'Eerst even de sneeuw voelen', zei hij, maar ik weigerde. Daartoe kon hij me niet dwingen. Ik kon het niet. Ik wist dat mijn weigering sterker was dan zijn wil.

'Nee. Ik kan het niet. Ik kan het niet!' Ik riep het in zijn gezicht en terwijl hij me aankeek, zag ik hem nadenken.

'Het is welletjes voor vandaag. Maar morgen gaan we weer naar buiten.'

Hij hield me stevig vast, alsof hij bang was dat ik hem zou ontglippen, en dit keer deed ik in de lift mijn ogen dicht. De hele weg omhoog en ook daarna moest hij me leiden en pas toen hij op de bel van de afdeling drukte, deed ik mijn ogen weer open, maar ik keek alleen maar naar mijn schoenen en de plassen die zich vormden door de smeltende sneeuw.

De vermoeidheid drong al het andere weg en ik sliep de hele dag. Toen ik wakker werd, stond er een blad met eten op een beddentafeltje en ik at de kip en de aardappels zonder me ook maar iets af te vragen. Hoe het eten smaakte? Waar ik was? Ik wist het niet. Ik bracht alleen maar de vork naar mijn mond, keer op keer op keer. Artan was weg en Urban was niet geweest. Ik was alleen in de kamer, die mij vasthield. Het scherm, dat iemand had gebracht toen ik erom vroeg, maakte me bang met zijn melkachtige oppervlak. Ik wilde het daar niet, maar er was niemand om dat tegen te zeggen. Niet nu. Nu het laatste streepje licht verdwenen was. Ik had hoofdpijn en het bonzen achter mijn ogen voelde alsof er iets uit mijn hoofd naar buiten wilde, of er iets uit wilde breken. Ik zag hoe mijn ogen op een soepbord werden weggebracht om in iemand anders' schedel geplaatst te worden. Ik zag het gebeuren maar kon niets doen want mijn tong was verlamd en mijn keel was rauw. Ik voelde in mijn oogkassen en het was zacht daarbinnen, en nat en het bloed liep over mijn handen en armen.

'Anna.'

Het was Sara. Had ze daar de hele tijd gelegen?

'Anna, ben je wakker? Anna, ik mag naar huis. Morgen ga ik naar huis. De dokters hebben het gezegd. Mijn moeder was zo blij, Anna, ik heb haar aan de telefoon gehad, en alles is nog net zoals toen ik wegging. Alles.

Ik zal je missen, Anna. Ik zal alles hier missen. Ze zijn zo aardig. Vind je ook niet? Anna, je zegt niets maar ik weet dat je blij voor me bent.'

Ik werd gedwongen om aan Sara te denken, aan hoe ze daar in bed lag te verlangen, maar ik had er geen plaats voor, het was te groot.

Ik maakte een gebaar met mijn arm dat ze stil moest zijn en ze zei niets meer. Ik wist niet hoe ik wist dat het niet waar was wat ze zei, maar ik wist het. Dat haar moeder wilde dat ze hier zou blijven, dat had ik aan haar mond gezien, de rode zee die zich opende en sloot.

Op de muur voelde ik Je zult de dood sterven en het gaf een rustig gevoel dat het zo zou eindigen. Ik had geen idee hoe je het leven moest leven. Het leven daarbuiten waar ik een deel van was geweest.

Er werd op de deur geklopt en daar was Urban. Hij rook

naar sneeuw en zweet, hij had getraind, hij had zijn sporttas bij zich. Hij stond in de deuropening met het licht achter zich.

'Anna', zei een verzorger die Per Ola heette. 'Gaan jij en je broer in de spreekkamer zitten? Dan storen jullie Sara niet. Sara is verdrietig vanavond.'

Ik liep met Urban mee het licht in. Liep achter hem aan naar het kleine kamertje waar ik de eerste nacht geslapen had. Liep achter de lucht van sneeuw en warmte aan die hij verspreidde. We gingen op de kleine slaapbank zitten en hij maakte zijn tas open en haalde een plak chocola tevoorschijn. Hij brak er een stuk af dat hij aan me gaf en ik at het op en liet de chocola uit mijn mond over mijn kin lopen, zodat Urban me alleen liet en naar de wc ging om papier te halen waarmee hij mijn mond kon afvegen. Eerst zei hij niets en ik kon ook niets zeggen en ik vroeg me af of m'n ogen op de juiste plek zaten terwijl ik voelde hoe het schrijnde in mijn keel.

'Anna. Ik heb een brief van thuis. Hij ligt bij de verpleegster. Ze dachten dat het op dit moment een beetje veel voor je zou zijn om hem te lezen. Je hoeft niet bang te zijn, Anna.'

Je hoeft niet bang te zijn, Anna, echode in mij. Was ik bang? Urban kon het weten. Ik kon me niet voorstellen hoe het was thuis, dus ik keek naar Urbans mond, hoe precies hij de woorden uitsprak. Ze stuiterden tussen de muren heen en weer: Je hoeft niet bang te zijn, Anna. Ik voelde hoe mijn hart op hol sloeg in mijn borst. Wanneer kon ik het hem vragen? Of hij mij kon helpen met doodgaan? Nee, ik moest het zelf doen, ik moest een manier zien te vinden. Ik begreep nu dat het niet genoeg was dat ik het wilde, dat ik zolang ik hier woonde niet dood zou gaan. Misschien was dat wel de reden waarom ik hier was.

Als de chocola op was, zou Urban weggaan. Ik had een stukje in mijn hand gehouden tot het smolt en plakkerig werd en ik schraapte het met mijn tanden van mijn hand, trok strepen in de chocola.

'Ik heb gehoord dat je vandaag buiten bent geweest', zei Urban.

Ik staarde hem aan. Wist hij het? Wat wist hij nog meer?

'Dat is goed', zei hij. 'Dat is heel goed.'

Ik hoorde dat hij iets over mijn ski's wilde zeggen, maar zichzelf onderbrak. Hij ademde in, als om een aanloop te nemen, maar hij bedacht zich en in die leegte verscheen het beeld van de ski's, als een beeld van een ander leven.

'Zet 'm op, Anna', zei hij terwijl hij me omhelsde, maar ik kon hem niet terug omhelzen want nu was het moment voorbij en hij leverde me uit aan de eenzaamheid hier binnen, waarin ik niet kon zijn. Het leek wel of ik op de afdeling op mijn tenen liep, en dat het niet anders kon.

Ik was diep weggezonken in de watten laag rond mijn gedachten, toen ik opeens rechtop ging zitten. Het was nacht en de maan stond aan de hemel, keek op mij neer met zijn witte schijn. Ik had gedroomd, ik had steengruis gegeten en mijn mond bloedde, maar was dat ook echt zo? Ik voelde met mijn vingers langs mijn geopende mond, maar er was niets, alleen maar spuug, en ik reikte zo ver naar binnen dat ik het gevoel had dat ik zou overgeven. Ik had zand in mijn mond, dat voelde ik, maar toch was het niet zo. Ik moest mijn mond spoelen. Ik was onvast op mijn benen maar steunde tegen de muur en de mensen van de nachtdienst keken in mijn richting en Pär, een lange man met donker haar, kwam me helpen, maar ik gebaarde afwerend om te laten zien dat het wel ging. Ik nam de paar passen naar de wc en deed voor de zekerheid niet het licht aan. Ik bleef mijn mond spoelen, maar het was alsof het zand aan mijn tanden plakte en bleef schuren, en ik zei tegen mezelf dat dat niet kon en bleef spoelen tot mijn tanden niet langer knarsten, waarna ik de kraan dichtdraaide en in het donker naar de deurkruk tastte, maar die was er niet, de deurkruk was een mes en ik sneed me in mijn hand zodat het bloed eruit liep en op de grond stroomde. Ik voelde hoe het warme bloed mij verliet, en om de wc uit te komen moest ik het mes nog een keer stevig vastpakken. Het nachtpersoneel rende naar me toe, droeg me naar een kamer waar de verpleegster mijn hand zou verbinden. Hoe kon dat? zeiden ze. Dat ik een mes had op de afdeling? Waar was het mes? De verpleegster maakte de wond schoon en legde er kompressen op en drukte en drukte om het bloed tegen te houden dat door de kompressen heen bleef komen, zodat ze ze de hele tijd moest verwisselen.

Ten slotte kreeg ze het bloed onder controle en zat mijn hand in een stijf verband. Van wie had ik het mes gekregen? Urban? hoorde ik Pär vragen. En er regenden nog meer woorden op me neer: wandeling, suïcidaal, over het hoofd gezien. Ze brachten me terug naar mijn kamer, legden me op mijn bed en gaven me extra druppels. Pär ging op een stoel in de kamer zitten en keek naar me in het donker. Zijn ogen waren als twee zwarte gaten en ik ging op mijn zij liggen met mijn gezicht naar de muur. Hij was als een dier dat mij wilde bespringen.

Het eerste wat ik zag toen ik wakker werd was het gezicht van Bengt. Ik zag de rode varkensoogjes op mij neerkijken. Hij had een alpinopet op zijn hoofd en zijn winterjas nog aan. Blijkbaar was hij direct naar mij toe gekomen, zonder eerst in de kamer met de icoon en de nepbloemen zijn jas uit te trekken.

'We moeten praten. Ze komen je om tien uur ophalen. Tot dan wil ik dat je de gewone routine volgt. Medicijnen, ontbijt, maar vandaag mag je niet douchen. We zijn bezorgd om je wond.'

Ik dacht eraan dat ze bezorgd waren om de wond, niet om mij. Als ze bezorgd waren om mij, dan was ik hier nooit terechtgekomen en de gedachte aan Urban dook op. De manier waarop hij zei: 'Je moet hier blijven. Je moet me vertrouwen.'

De patiënten zaten bij elkaar aan de ontbijttafel als een kleine kudde die zich volgens een vast patroon bewoog. Ik liep ernaartoe met Pär vlak achter me. Ontbijt pakken, kauwen, zich naar de ander toe buigen en naar het eigen bord kijken. Het leek op een dans met al die kleine bewegingen die samen een grotere golvende beweging vormden. Een dans waaraan iedereen deelnam, ieder op zijn eigen manier. De gedachte kwam bij me op dat zelfs mijn weigering in het grotere geheel paste, dat ik daar als een soort grondtoon zat en niets wilde zien. Ik nam wat van het eten, wat niet zo makkelijk ging met mijn hand in het verband, dus Petra hielp me, degene van de scheve lok en de huisdieren. Met één hand lepelde ik cornflakes naar binnen, de andere lag hulpeloos op tafel. Ik kreeg een boterham, die ik op dezelfde manier opat als anders. Petra pakte mijn bord en zette het op de kar en daarna pakte ze mijn arm om me te helpen opstaan hoewel ik dat best zelf kon.

Petra ging mee naar mijn kamer, liep maar een paar passen achter me en het maakte me bang dat ze zo vlak achter me was. Wat was er aan de hand? Waarom mocht ik niet net als anders zelf lopen?

Op mijn bed lagen mijn kleren, die van mijzelf die Urban had gebracht, en ik begreep dat het de bedoeling was dat ik me met Petra in de kamer zou aankleden. Ik deed het zo goed en zo kwaad als het ging, maar Petra moest me helpen en het mouwgat van mijn trui openhouden, zodat mijn verbonden arm erdoor kon.

We liepen door de gang de afdeling af, naar de andere kant waar de artsen in hun kamers op hun schrijfmachines zaten te typen, of in dictafoons spraken. En zij hadden het over ons, dat begreep ik nu. Petra klopte op de deur van Bengt, die meteen opendeed, alsof hij bij de deur op ons had staan wachten.

'Ga zitten, Anna. Petra, wacht jij buiten?' zei hij en ik zag dat de alpinopet nu bij zijn jas op de kapstok hing en dat zijn rode, schilferige hoofdhuid door zijn haar schemerde. Ik ging in een leunstoel zitten, terwijl Bengt zijn bureaustoel pakte en die recht tegenover me zette, alsof hij niet wilde dat de tafel ons gesprek in de weg zou staan.

'Anna, waar kwam dat mes vandaan?' Hij hield mijn blik vast, die af wilde dwalen naar de icoon aan de muur en naar het raam, maar zijn scherpe rode oogjes hielden me vast en ik wist dat ik antwoord moest geven. Ik slikte en slikte, om controle te krijgen over de woorden die onder in mij op een hoopje lagen.

'Het was de deurkruk', zei ik, hoewel ik wist dat dat het verkeerde antwoord was.

'Had Urban het mes bij zich?' vroeg hij toen.

Ik keek over hem heen, probeerde te begrijpen wie hij was. Of hij afwist van de slang in de put, en het steengruis, of hij wist hoe de maan scheen. Maar hoewel hij stafarts was wist hij niets, wat me zo'n angstig gevoel gaf dat mijn hart in mijn keel klopte.

'Nee', zei ik.

Ik probeerde in elk geval nee te zeggen, maar het woord ging de kamer niet in, bleef in mijn mond hangen.

'Nee, nee.' Ik zette kracht om het nee eruit te krijgen. 'Nee, het was niet Urban.'

'Anna, hoe is het gebeurd? Je weet dat we hier strakke routines hebben. Alle patiënten worden gevisiteerd als ze aankomen. De keukenmessen zitten achter slot en grendel en er zijn geen scherpe voorwerpen op de afdeling. Dus vraag ik je opnieuw: waar kwam dat mes vandaan?'

'Het was de deurkruk', zei ik weer.

Dat was het enige wat ik kon zeggen. Het was meer dan ik kon zeggen. Ik dacht terug aan de afgelopen nacht en de deurkruk die in mijn hand brandde, het bloed dat uit mij stroomde.

'Anna, nu we gezien hebben dat je jezelf verwondt, moeten we extra goed op je letten. Er moet altijd iemand bij je zijn. Je mag niet alleen naar de wc. Er komt iemand naast je bed zitten als je slaapt. Maar je moet vertellen waar het mes vandaan kwam. Ben je in de keuken geweest terwijl ze kookten?'

Ik schudde mijn hoofd. Daar was ik niet geweest.

'Ik merk dat we nu niet verder komen, Anna. We zullen je
dosis verhogen. Ik denk dat je waanvoorstellingen hebt. Dat je
het je niet herinnert. De medicijnen helpen je je gedachten te
ordenen en ze houden je rustig. Begrijp je wat ik zeg?'

'Ik wil het niet.'

De woorden vielen uit mijn mond en landden op zijn
schoot en ik zag duidelijk hoe hij ze een voor een oppakte en
oppoetste zoals je een appel opwrijft.

'Dan spreken we dat af, Anna', zei hij met de appels in zijn
handen. 'Ik zal de routines bespreken met de verzorging.'

Hij klopte me op mijn schouder.

'Het is niet jouw schuld dat het gebeurd is.'

Ik zwom onder water. Slag na slag. Er luidden klokken en de
gemeente zat op de bodem op rijen stoelen, hun gevouwen
handen waren wit en hun haar golfde in het water. Erik stond
met uitgestrekte armen voor hen. Nu bidden we tot de levende God, zong hij. Ik zwom naar ze toe, naar de klokken en
naar hun uitgestrekte armen. Nu loven wij de levende God,
zong Erik, en ik zwom naar een lege stoel die een eindje van
de anderen af stond. Ik ging zitten en hield me vast om niet
omhoog te drijven. De leden van de gemeente keerden zich
op hun stoelen naar mij toe en hun gezang werd luider. Ze
schreeuwden. Schreeuwden met geopende monden en hun
monden waren net als hun schreeuw. Onverdraaglijk. Ik liet
mijn stoel los, maar dreef niet omhoog. Ik zat vast. Ze keken
naar me met hun ogen en ik voelde mijn hartslag en probeerde te vluchten, maar ik was van hen. Ik was meer van hen dan
ik ooit voor mogelijk had gehouden en ik schreeuwde, ik ook.

Door de schreeuw hielden ze op, en Anna-Lisa wendde zich tot mij, gleed op mijn schoot en hield haar hand over mijn mond. Ik probeerde los te komen, trok haar aan haar lange haar en sloeg haar op haar gezicht, krabde haar met mijn nagels tot ze bloedde, maar ze liet niet los. Ik kon geen adem krijgen en het werd zwart voor mijn ogen en voor ik viel, voelde ik de dood als een zwarte schaduw. Ik viel in een zwart gat en van een afstandje hoorde ik de gebeden van de gemeente, om mijn ziel te redden, dat God mij zou opnemen als een van de zijnen. Ik huilde, huilde omdat het voorbij was, omdat ik niet meer kon, omdat het leven dat ik tot nu toe gekend had voorbij was.

Artan keek me aan en ik zag dat hij teleurgesteld was. Hij zei niets, maar ik zag aan zijn schouders dat hij een afstand schiep tussen ons. Er was altijd een afstand geweest, maar die was groter geworden. Hij zat met een boek op een stoel in de kamer en ik lag naar de bloem op het plafond te kijken, die zo langzaam groeide dat je het niet zag. Ik schaamde me ervoor dat hij daar zat terwijl ik niets deed. Moest hij zitten toekijken terwijl ik daar alleen maar lag? Het voelde alsof ik niets was, en alsof hij op dat niets moest passen. Ik schaamde me ervoor dat ik een deel was van zijn leven. Dat ik zijn tijd in beslag nam. Ik voelde dat ik iets tegen hem moest zeggen. Ik probeerde de juiste woorden te vinden en ten slotte zei ik: 'Ik wil dit niet.'

'Nee,' zei Artan, 'dat weet ik. Jij zou je nooit expres snijden.'

Kon Artan me begrijpen? Nee. Niemand kon me begrijpen.

'Nee,' zei ik.

Artan ging door met lezen terwijl hij geïrriteerd met zijn voet op de grond tikte, maar hij kon niets tegen me zeggen. Niet nu. Ik had hem teleurgesteld, wilde die tikkende voet zeggen, jij hebt niet alleen jezelf maar ook mij teleurgesteld. Ik geloofde in je, Anna, zei hij met zijn voet. We waren op de goede weg, maar nu is dat niet meer zo. Ik wist dat een verzorger nooit verwachtingen mag hebben van een patiënt, niet iets van zichzelf in een patiënt mag investeren, en misschien had Artan dat wel gedaan, zonder het zelf door te hebben.

Ik zonk steeds verder omlaag, liet het maar gebeuren want het was te pijnlijk om wakker te zijn. Ik kwam de veerman tegen, die me aanbood aan boord te komen, maar ik ging verder naar het hertenmeisje dat op een bankje zat te huilen, nog verder naar de dag die scheen en waarvan het licht zo scherp was dat je er niet tegenin kon kijken. Ik voelde met mijn hand voor me uit en liep door het licht de straat in van het huis van mijn familie, waar ze aan tafel zaten. Ik ging ongezien naar binnen en liep door naar mijn kamer, waar de landkaart hing en ik had het gevoel dat nu ik de kaart weer gezien had, ik me haar voor altijd zou herinneren. Ik keek naar het nachtkastje met de brieven die daar lagen. Door de aanblik deinsde ik naar achteren de kamer uit en verdween uit het huis en keerde door het licht terug naar het lichaam waarvan het bekken verankerd lag in het bed.

De nieuwe medicijnen maakten mijn tong stijf en als ik eerder al had kunnen praten, was het nu onmogelijk. De woorden glipten zo'n beetje uit mijn mond: ja graag, nee, op de vragen van het personeel of ik niet moest douchen, of ik nog een boterham wilde. Mijn hand was genezen en je zag alleen nog maar een rode streep die jeukte. Mijn lichaam was stijf, het was van binnen vastgevroren en ik voelde me als een bevroren meer, met alleen maar plaats voor mijn longen die de lucht in- en uitademden, en voor de vuist van mijn hart, die diep in het ijs bleef bonzen.

Ik mocht geen bezoek. Ik dacht aan Urban. Of hij misschien opgelucht was. Ik wist niet hoe zwaar het voor hem was om mij te bezoeken. Misschien was hij blij dat hij niet hoefde? Dat kon ik me voorstellen. Ik zou mezelf ook niet willen ontmoeten. Het maakte niet uit dat ze me hier achterlieten, want ik zou hier toch nooit wegkomen. Zo dacht ik nu. De dood voelde ver weg. Alsof hij mij niet langer toebehoorde, alsof het geen mogelijkheid meer was. Alleen in mijn dromen kwam ik hem nog tegen, kwam hij dichterbij. Het was de veerman, en de mist die zong, of het steengruis dat omlaag ging vallen. De hond met de rode ogen. Hoe hij er ook uitzag, ik herkende hem altijd, maar ik kwam nooit dicht genoeg in de buurt.

Ik dacht na over mijn wil. Mijn wil om te leven, was die ergens? Hoe kon een leven eruitzien? Wat zou er met mij gebeuren? Zou ik worden doorverwezen naar de kamer waar ze spelletjes deden? Zou ik weer gaan wandelen? Artan zei er niets over. Hij zei niets, hielp mij alleen met het hoogstnodige. Overdag zat ik op de vensterbank te fantaseren, met hem of iemand anders in de kamer. Ik raakte er op de een of andere manier aan gewend dat er altijd iemand in de kamer was. Dat er een getuige was van mijn weigering, van dat niet-leven dat nu al een tijd voortduurde, precies hoelang wist ik niet.

Ik streelde met mijn hand over het raam van plastic. Ik zag daar buiten het voorjaar en de paardenbloemen die door de sneeuw omhoogkwamen. Ik voelde van binnen hoe de aarde rook, de natte, warme sneeuw en de aarde eronder. Ik dacht aan de rivier die naar buiten brak om ruimte te krijgen, aan gevoerde winterlaarzen en een kriebelende muts en ik begreep dat die gedachten bij het leven hoorden. Zou ik Bengt over de rivier vertellen?

En Artan?

Artan zat rustig op zijn stoel te lezen. Geconcentreerd, leek het. Ik vroeg me af wat voor een boek hij las. Kon ik dat vragen?

'Artan', vroeg ik met een tegenstribbelende tong, zodat ik als een oude man klonk. 'Ik wil naar buiten.'

Artan keek op van zijn boek. Keek me aan alsof hij probeerde te begrijpen wie ik was. Wat ik wilde. Waarom ik zo klonk.

'Dat zal niet makkelijk zijn', zei hij alleen en hij ging door met lezen. Alsof hij geen toegang wilde geven, alsof de weg bij hem naar binnen afgesloten was. Ik bleef op zijn deur kloppen. Ik zag het mezelf doen. Ik wilde hem bijna slaan, zoals hij daar alleen maar in de kamer zat, als een beeld, dacht ik, en ik probeerde het niet nog eens want nu kwam de wagen met dagmedicijnen, met Sonja. Haar armen waren zo dun dat je haar botten kon zien. Ze knikte naar Artan en keek vervolgens naar mij.

'Kom eens van de vensterbank', zei ze. 'Ga op je bed zitten, ik moet je prikken.'

Ik deed wat ze vroeg, hielp mijn mouw opstropen zodat ze de band eromheen kon doen. Ze tikte in mijn elleboogholte en lachte opbeurend: 'Mooie aderen. Niet iedereen is zo makkelijk te prikken.'

Het was alsof ze mij ermee complimenteerde dat het bloed in mijn aderen zo duidelijk zichtbaar was, en ik keek toe terwijl ze de naald erin stak, die door de huid naar binnen liet dringen. Ze zette er telkens een nieuw buisje op. Schudde het heen en weer en zette het in een klein rekje op tafel. Daarna gaf ze me mijn medicijnen, die ik met water slikte, waarna ik mijn mond opensperde om te laten zien dat ik er niet stiekem pillen in had achtergehouden.

'Dank je wel, Anna', zei Sonja, die de kamer verliet nadat ze nog eens naar Artan had geknikt.

De deur ging achter haar dicht en de kamer wachtte even tot alle geluid verdwenen was en kwam toen weer tot rust. Het begon te schemeren en ik bedacht dat je in dit licht eigenlijk niet kunt lezen.

'Morgen is er niet de hele tijd iemand bij je', zei Artan plotseling. Zijn stem vulde de hele kamer, bereikte het plafond en viel daarvandaan omlaag.

'Goed zo', zei ik en na die woorden leek het of we beiden geen krachten meer overhadden, waardoor ik begreep hoeveel energie het kostte om daar onbeweeglijk op een stoel te zitten, zelfs als je een boek las.

Artan haalde nog een keer diep adem.

'Zo dadelijk ga ik weg en dan komt Rodney, oké?'

Rodney was prima. Hij was een van degenen die 's avonds laat extra boterhammen haalde. We zaten een hele tijd zwijgend in het donker en ik begreep dat Artan alleen maar deed alsof hij las. Had hij de hele tijd gedaan alsof? Ze hadden het erover gehad wanneer ik de brief van mijn familie zou mogen lezen, maar het was nog een beetje te vroeg, misschien binnenkort? Ik wilde dat Urban erbij zou zijn, of in ieder geval Artan. Misschien kon ik niet eens meer lezen. Die nieuwe houterigheid van binnen scheurde me uiteen. Alsof ik twee kanten had die los werden getrokken. Ik liep slechter, waggelde naar de ontbijttafel. Misschien scheurde de houterigheid ook wel de woorden op het papier uiteen, net zoals de woorden die ik sprak. Ik had sinds ik hier was niets meer gelezen – of geschreven.

Rodney klopte op de deur en stak zijn hoofd naar binnen, waarna Artan opgelucht opstond. Het was duidelijk dat ze elkaar mochten want ze gaven elkaar een hand en lachten met tanden die glansden in het donker.

'En hoe is het hier?'

'Alles rustig', zei Artan, en daarna: 'Kom je op het feestje?'

'Ja', zei Rodney lachend. 'Absoluut. Misschien gebeurt er wel iets spannends.'

Artan lachte ook.

'Tot dan', zei Artan terwijl hij zonder goeiendag te zeggen de kamer verliet.

'Wil je dat het zo donker is of mag ik het licht aandoen?' vroeg Rodney en toen ik niets zei, deed Rodney het plafondlicht aan.

'Wil je een tijdschrift?' vroeg hij.

Ik schudde mijn hoofd.

'Wil je gewoon een beetje zitten?'

Ik nam een aanloop met mijn stem, probeerde langs mijn tong te glippen en zei: 'Ik kan niet praten.'

'Arme Anna', zei Rodney, maar waarom moest hij dat nou zeggen, want door die woorden kwamen de tranen en die bleven over mijn wangen stromen. Eerst hadden ze bevroren en veilig binnen in mij gelegen, maar nu trokken ze als een leger uit de diepte omhoog en zat ik daar te huilen en te snotteren en mezelf te haten vanwege die tranen. Ze stroomden naar buiten. Ik kon ze onmogelijk tegenhouden. Ze gleden langs de stijfheid naar buiten, alsof die stijfheid helemaal niets voorstelde, en opeens zat ik daar met Rodney naast me. Het leek alsof hij me helemaal vasthield, hoewel hij alleen een arm om me heen geslagen had.

'Goed zo', zei Rodney. 'Het is goed dat je huilt.'

Ik ging de kamer uit met Rodney achter me aan, op de gang begon ik te hollen, tot aan de openstaande deur van de woonkamer, waar ik me omdraaide en terugholde, maar er was geen plaats om echt te rennen. Ik voelde hoe mijn spieren zich rond de bewegingen aanspanden en mij vooruithielpen, stap na stap, alsof ze alsmaar hadden gewacht op deze kans om zich uit te strekken, maar ik werd tegengehouden door Rodney, die me nu stevig van achteren vasthield en ik huilde en huilde, schreeuwde en huilde tot ik op mijn knieën viel en overgaf. Het was alsof ik mijn hele wezen daar op de grond uitbraakte, de schokken kwamen en gingen als golven door mijn lichaam. Het bleef maar doorgaan, maar ten slotte kwamen er geen nieuwe golven meer en Rodney hielp me naar de wc, waar ik mijn mond en gezicht afspoelde met koud water, ik morste water op mijn trui en broek maar het gaf niet, en met Rodneys hulp kwam ik weer in bed. Hij legde me er voorzichtig in, alsof ik een klein kind was dat naar bed moest worden gebracht, en zijn hand was koel op mijn voorhoofd. Hij ging op de stoel naast het hoofdeinde zitten en om een of andere reden moest ik aan Sara denken, die daar met de anderen in de woonkamer bij de televisie zat. Dat zij nooit naar huis zou gaan, maar waarom ik op dit moment aan haar moest denken, kon ik niet verklaren. Ik was blij dat Rodney daar zat. Ik was bang. Het was alsof mij iets duidelijk was geworden, alsof iets was komen vast te staan, maar ik wist niet wat.

Betekenis. Betekenis. Het woord schrijnde in mijn borst toen ik wakker werd. Ik deed mijn ogen open en keek rond door de kamer die ik haatte. De kleren op de grond, het stof dat duidelijk zichtbaar was in het licht, dat ik op alle mogelijke manieren had geprobeerd buiten te sluiten. Ik sloot mijn ogen weer. Mijn gedachten bewogen zich als trage slangen: wil niet. Niet dit. Nooit meer. Ik krulde me als een foetus op en wiegde heen en weer om de gedachten op afstand te houden. Wat moest ik doen? De dag moest nacht worden. Het uitdoven was het enige waar ik naar uitzag. De slaap was een bevrijding. Om een of andere reden waren mijn dromen licht.

De slaap had 's nacht op mijn gezicht geschreven. Rode groeven van hopeloosheid die in de loop van de dag ongemerkt zouden verdwijnen.

Alles in mij was stijf en bevroren. Te mogen sterven, te mogen sterven, echode het in mij. En tegelijkertijd die honger. Waarom? O, wat haatte ik mezelf en wie ik ongemerkt was geworden. Dag na dag, week na week had ik het monster geschapen dat ik zelf was.

Kon ik maar weer inslapen. Ik drukte mijn gezicht in mijn

DE VAL VAN DE HELIOS

kussen, trok het dekbed over me heen en vroeg me af wanneer de medicijnen zouden komen. Het was een zegen om alleen mijn ademhaling te volgen, in, uit, terwijl ik door de tunnel liep waarvan de zijkanten zo licht waren dat ze leken te branden. O, dat licht, was het laatste wat ik dacht voor ik weer in slaap viel.

Toen ik wakker werd, was het avond en Urban was in de kamer. Urbans keuze om nooit op iemand neer te zien, irriteerde me, hoewel ik me er ook over verbaasde want ik wist dat hij een eigenschap bezat die ik volkomen miste. Mijn eigen blik was meedogenloos en wreed, terwijl Urban naar mij keek zonder te oordelen. Urban oordeelde over niemand. Hij vertrouwde op zichzelf. Zijn perspectief en begrip van tijd waren intact. Wanneer was ik dat kwijtgeraakt?

Ik had herinneringen. Natuurlijk had ik die. Ik herinnerde me de zee. Ik herinnerde me de hemel. Ik herinnerde me mijn vader.

Wacht. Ik herinnerde me de cadeautjes die ik als kind had gekregen.

Sta op! Sta op! Urban zou mij heen en weer moeten schudden, mij met die handen van hem slaan. Maar terwijl ik daar lag, gaf hij me druiven en chocola. Zoals je een hond eten geeft. De dag was in elk geval ongemerkt voorbijgegaan. Dat maakte me rustig. De druk op mijn borst werd minder. Ik hees me overeind tot ik zat. Keek naar de deur die mij insloot. Die de wereld buitenhield. Het houten oppervlak ervan was kaalgesleten en vlekkerig. De muren steunden elkaar. Hielden de kamer op hun plaats. Leken zich niet van mij bewust. Ik had last van het geluid op de afdeling. Mijn gehoor was zo gevoelig dat ik de televisie in de woonkamer kon horen, hun gepraat, het gooien van dobbelstenen. Nu huilde ik weer. Waarom mocht ik niet doodgaan? Waarom zou een sprong uit het raam geen bevrijding geven?

Eeuwigheid. Hoe beangstigend was dat nou helemaal? Mocht ik maar sterven. Mocht ik maar sterven. Van het leven overstappen naar de grote stille ruimte van de dood. Voor het laatst mijn hart horen slaan. Die bevrijding werd mij onthouden. Waarom?

Omdat ik Athena was.

De leidingen in de kamer ruisten. Ik luisterde naar het geluid, hoorde iemand een wc doortrekken. Urban zat nog steeds bij mijn bed, maar zo dadelijk zou hij weggaan en dan was ik weer alleen. Ik ontweek het woord 'eenzaam' want ik wist dat dat mijn tranen opriep. In plaats daarvan richtte ik me op de geluiden in de buizen. Ik sloot mijn ogen en stelde me voor dat het mijn eigen hersenen waren, die werden schoongespoeld. Alle kronkelende gangen die verstopt zaten door mijn onvermogen. Ik had het koud en trok een dikke, gebreide trui aan die naast het bed op de grond lag. Ik wilde dat ze met de medicijnen zouden komen. Ik had overdag mijn slaap opgebruikt. Ik voelde van binnen dat het een slapeloze nacht zou worden en rilde. Wat moest ik met al die tijd? Al die uren die elkaar onverbiddelijk opvolgden? Ik pakte een van de plakken chocola, haalde het papier eraf en nam een hap. Als ik eenmaal was begonnen, kon ik niet ophouden met eten. Ik nam hap na hap. Ik kauwde nauwelijks, slikte alleen maar en voel-

de hoe de harde randen langs mijn keel schraapten. Ik nam
een slok van het water dat in een plastic kan op het tafeltje
naast mijn bed stond, en iets in mij werd kalmer. De onrust?

Het was langgeleden dat ik nog dingen wilde begrijpen.
Hoe het ene tot het andere leidt. Er was een reeks vragen die ik
ontweek. Die ik moest ontwijken. Ik sloot mijn ogen opnieuw,
om die vragen weg te duwen. Soms wierpen ze zich op mij
met een kracht waartegen ik alleen met medicijnen bestand
was, maar meestal lagen ze in mijn binnenste te sluimeren en
zo wilde ik het graag.

Ik probeerde die rust te bewaren. Richtte me op het hier en
nu en op de gedachte dat er niets anders was. Binnen in mij
was er een stem die koppig tegen me zei dat het zo niet langer
ging. Het ging niet.

'Je gaat weer wandelen', zei Urban. 'Ik heb met Bengt en Artan gepraat en zij vinden het ook een goed idee.'

Ik wilde niet. Ik wilde niets, niet eens naar Urban luisteren
als hij praatte, dus ik draaide me van hem af en keek naar het
behang.

'We vinden allemaal dat je meer je bed uit moet. In het begin zul je jezelf ertoe moeten dwingen, maar het wordt steeds
makkelijker. Ik weet dat je dat nu niet begrijpt, maar dat verandert en dan voel je het zelf.

Ik wil graag de brief van thuis aan je voorlezen, vind je dat
goed?'

Met het woord 'thuis' kwamen de tranen weer. Thuis, eenzaam, vader, het waren de woorden die ik vermeed en nu zat
hij daar aan mij te rukken en scheuren met zijn handen. Hij
pakte mijn verlangen vast maar begreep niet dat het niet kon.

'Nee, Urban', zei ik tegen de muur. 'Ga weg.'

Toen hij toch bleef zitten, werd alles in mij zwart en vloog ik hem aan, pakte zijn hoofd vast en schreeuwde: 'Ga weg. Ga weg.'

Maar Urban was sterker, hij pakte me bij mijn armen en maakte mijn handen los.

'Je kunt me heus niet bang maken. Echt niet. Ga liggen. Ik ken hem uit mijn hoofd.'

Hij begon te spreken, helder en luid de kamer in, hard, als om mijn gedachten te overstemmen:

'Liefste Anna! Wij denken elke dag aan je, dat jij daar bent en wij hier en dat wij willen dat je bij ons terugkomt. We houden van je, begrijp je dat? We houden net zo veel van jou als van onze eigen kinderen. Jij bent een van ons, dat ben je vanaf de dag dat we je ophaalden. Je moet niet bang zijn of de moed opgeven. Je moet daar nu zijn en elke dag een beetje beter worden en als je daar klaar voor bent, kom je weer naar huis. Je kamer wacht op je. Wij zorgen dat hij schoon en gezellig is. We zetten bloemen op je nachtkastje. We missen je de hele tijd. Misschien geloof je dat nu nog niet, maar er is hier bij ons een leven voor jou. Wij houden van je. Sven, Birgitta, Ulf en Urban.'

Wij houden van je.

Wij houden van je, bleef door mijn hoofd zingen en vermengde zich met mijn tranen. Zou ik toch terug kunnen? Was er een weg terug?

Dit keer trok ik zelf mijn kleren aan. Mijn lange onderbroek onder mijn jeans, thermohemd, gebreide trui, donzen jack, muts en wanten. Artans 'het is best warm buiten' gleed van mij af. Voor mij was het winter, net zoals de vorige keer dat we buiten waren geweest. Artan maakte de deur open en deed hem achter ons weer op slot. Toen we bij de schuifdeur kwamen, bonsde mijn hart in mijn keel.

Er lag hier en daar nog wat sneeuw, de grond was bijna overal zichtbaar en arm in arm liep ik met Artan naar het natte, platgedrukte gras. De lucht was vol geluiden van vogels die riepen, een geluid dat ik buiten wilde sluiten, dus ik trok mijn muts omlaag. In het ziekenhuispark stonden hier en daar in de grond geschroefde bankjes, zodat je kon zitten om van het weer of van een kopje koffie te genieten.

'Zullen we het pad langs het water nemen?' vroeg Artan. 'Het is een iets langer rondje, maar het lijkt me goed je een beetje uit te putten.'

Daar zei ik niets op terug, ik liep alleen maar naast hem te midden van al het leven, voelde me net een vreemdeling, als iets uit een andere tijd. We liepen rondom het meertje, dat op sommige plaatsen nog bevroren was, op de kant lagen kleine bootjes ondersteboven op houten schragen, hun eigenaars waren met thermoskannen en sinaasappels in de weer en controleerden of alles nog in orde was.

Artan liep snel, met mijn arm in de zijne.

'Lopen, Anna. Sneller lopen.'

Ik deed wat hij zei en het was alsof we over de weg rondom het meertje vlogen. Wie was Artan, vroeg ik me af, dat hij zo kon vliegen? We kwamen mensen tegen die hun honden uitlieten of gewoon zelf een eindje wandelden, en ik knipperde tegen het licht dat als blauwe stippen over mijn oogleden danste, elke keer dat ik mijn ogen sloot. Maar Artan was er meteen bij: 'Moet je kijken, Anna. Kijk die boot, hoe mooi rood en blauw die geschilderd is.'

En ik zag het. Ik zag het allemaal. Alles zag ik. De oranje sinaasappelschillen, de ogen van de man die keek hoe wij vlogen, de waterige hemelsblauwe kleur van de lucht, de geur van de aarde die stoomde aan onze voeten. Artan ging nog sneller lopen en ik volgde hem, spande me in, want nu trok hij zich er niets meer van aan of ik hem bijhield of niet. Ik probeerde hem uit alle macht bij te houden.

Toen we weer in het ziekenhuispark terug waren, zei hij: 'Nu hebben we het eten gemist. Ik regel wel wat.'

Toen ik terugkwam op de afdeling, sloeg de damp van me af en omdat ik dacht dat niemand dat mocht zien, haastte ik me naar mijn kamer. Ik hing mijn jack in de kast, propte de rest er maar zo'n beetje bij en deed de deur dicht.

Wilde ik dit? Wilde ik werkelijk al dit licht? Ik had geen antwoord, maar de vragen bleven komen en raakten als draden in elkaar verward. Artans gezicht dook op, eerst als een schaduw maar daarna kwam hij echt tevoorschijn met zijn donkere ogen en een dienblad. O, wat haatte ik die dienbladen, dacht ik bij mezelf. Al die plastic kannen en de zeep die vastzat aan de muur. O, wat haatte ik deze afdeling met haar vaste tijden en onveranderlijke ritme waar je niet gemakkelijk in kon glijden.

Maar ik wilde niet naar huis. Daar was ik zeker van. Ik wist dat die tijd voorbij was en nooit terug zou komen. Ik wist niets over mijn toekomst, en alles wat ik in mijn handen hield, was deze afgeknipte band.

Misschien was dat de reden dat ik niet gezond kon worden? Hoeveel ik ook van Urban hield, broer en zus zouden we niet worden. Birgitta en Sven en Ulf lagen in de verte achter mij en ik had een weg afgelegd waarover zij niet konden volgen. Er was geen weg terug. Misschien wist Urban dat? Diep van binnen?

'Gekookte kabeljauw, aardappels en erwten', zei Artan, die het blad op mijn beddentafeltje neerzette.

Ik at alles, schoffelde het achter elkaar naar binnen alsof ik in geen eeuwigheid gegeten had. Als een hond, dacht ik, en ik schaamde me dat Artan me zo zag. Maar hij zei niets, zat rustig op zijn stoel te wachten tot ik klaar was. Ik wist niet wanneer hij zelf zou eten.

'Met die wandelingen gaan we door', zei hij alleen toen hij wegging met het dienblad.

Mijn houterigheid was iets waaraan ik gewend was geraakt. Dat mijn lichaam verschillende kanten op wilde. En mijn gedachten. Het was alsof ik van de ene ijsschots op de andere sprong, over geulen koud water. Ik had een manier gevonden om mijn tong te laten doen wat ik wilde, als ik iets moest zeggen. Wat bijna nooit zo was. Zelfs met Artan praatte ik niet erg veel, alleen het hoognodige om uit de voeten te kunnen. Ik antwoordde als me iets gevraagd werd, dat was het zo'n beetje. Maar het licht dat zich een weg naar binnen had gebaand, bleef in het donker aanwezig en hoewel ik het niet bij zijn juiste naam wilde noemen, gebeurde het een enkele keer, voordat ik in slaap viel, gewiegd door de medicijnen, dat ik het spelde: hoop.

'De wandelingen doen je goed', zei Bengt. 'Het is goed dat je ermee doorgaat. Ik heb begrepen dat je ernaar uitziet. Ik zou het goed vinden als je ook op de afdeling actiever wordt. Doe ergens aan mee, Anna, al is het alleen maar televisie kijken na het avondeten. Je hoeft geen contact te zoeken met de andere patiënten. Het is best als je alleen met de verzorgers omgaat. Maar dwing jezelf iets te doen. Een spelletje. Zullen we dat afspreken, Anna? Dat je voordat we elkaar weer zien een spelletje hebt gedaan? Ik zal het tegen een van de verzorgers op de afdeling zeggen.'

Ik zei niets. Een spel? Waar had hij het over? Moest ik een spelletje doen? Bengt droeg een wit overhemd met lichtblauwe knoopjes en de slungelige co-assistent was erbij, die mij monter toeknikte. Ik merkte dat hij naar alcohol rook, dus zei ik dat, jij ruikt naar alcohol, en hij zei, wat weet jij van alcohol, Anna? En ik zei dat het een vloek is, en bij dat woord maakte hij een aantekening in zijn blocnote.

'"Vloek", dat is nogal een sterke uitdrukking, Anna.'

Alsof er sterke en zwakke woorden zijn. Hij leunde naar me toe en ik vroeg wat er dan een zwakke uitdrukking voor was, maar daar gaf hij geen antwoord op en leunde weer naar achteren terwijl hij met zijn vingers door zijn haar ging. Dat deed hij een paar keer, totdat Bengt zei: 'Dan hebben we een afspraak. Als Rodney vanavond komt, zal ik het tegen hem zeggen.'

We zaten op de gang, wat niet erg veilig voelde met iedereen die langs kon komen, ik had nog steeds alleen maar naar Sara gekeken, de anderen waren schimmen die voorbijgleden.

Ik was bang voor ze, zo eenvoudig was het. Ik was bang dat we op elkaar zouden lijken en dat ik dat zou zien als ik naar hen keek. Ik had nooit eerder op de roze met wit gestreepte bank gezeten, hem alleen maar zien staan.

'Dit is yahtzee', zei Rodney terwijl hij mijn blik probeerde te vangen. 'Er zijn vijf dobbelstenen en je moet verschillende combinaties maken. Gooi maar met de dobbelstenen, dan leg ik het je gaandeweg uit.'

Hij gaf me de dobbelstenen. Ik nam ze van hem aan en hield ze in mijn hand.

'Nu op tafel gooien', zei Rodney. 'Dat lukt wel.'

Ik liet de dobbelstenen boven het tafeltje uit mijn hand glijden. Het geluid toen ze op het tafelblad vielen.

'Kijk. Je hebt twee vijven. Die bewaar je en nu gooi je met de overige dobbelstenen. Je moet zo veel mogelijk vijven zien te krijgen', verduidelijkte hij.

Ik gooide opnieuw. *Rrits*, klonk het in mijn hoofd.

'Zie je, nog een vijf.'

Ik pakte de twee overgebleven dobbelstenen en goot ze boven de tafel uit. Het werden een vier en een drie.

'Vijftien met drie vijven. Dat is goed. Als je van alles minstens drie hebt, krijg je een bonus.'

Rodney gooide de dobbelstenen en ik kromp in elkaar, want ik voelde dat er iemand vlak langs mij heen liep. Het was als een elektrische schok, en ik staarde naar de dobbelstenen die Rodney had gegooid.

'Ik verzamel tweeën. Kijk, Anna.'

Ik keek hoe hij opnieuw gooide en nog drie tweeën kreeg.

'Yahtzee', zei Rodney. 'Dat was wel heel veel geluk', zei hij bijna verontschuldigend. Hij had waarschijnlijk gewild dat ik zou winnen, maar ik dacht aan de schok die door me heen was gegaan en die ik nog steeds voelde, een kruising van klap en liefkozing.

'Rodney, kunnen we nu ophouden?'

'Ja', zei Rodney. 'Het is goed dat je het geprobeerd hebt. De volgende keer doen we het wat langer.'

Ik knikte en ging naar mijn kamer. Sara lag op haar bed in een tijdschrift te lezen, maar dat kon me niet schelen. Ze was niet gevaarlijk voor mij. We leken niet op elkaar. Dat wist ik zeker en ik kon zo mijn bed in kruipen, onder de deken en het laken, en het was alsof de helft van mij sliep en de andere helft klaarwakker was. Ik probeerde mijn wakkere kant in te laten slapen, de kant die zoekend over de afdeling zwierf. Ik zag Rodney in de woonkamer zitten, met zuster Inga die medicijnen rondbracht. En de rij patiënten buiten de zusterpost. Wie waren dat? Een meisje met een paardenstaart. Was ik dat? Wat deed ik daar? En achter me in de rij een man, en ik draaide me om om hem aan te kijken. Het was Conrad. Het was Conrad met het zwarte haar en de ogen met de kleur van de zee die daar stond en hij keek me aan en even herkenden we elkaar.

'Anna', zei hij. 'Anna, ben jij hier?'

'Ja', zei ik. 'Ik ben hier.'

Ik nam zijn hand. Hij was droog en warm en sloot zich om de mijne. Conrads hand. Mijn vader. Het was mijn vader die voor me stond en mijn hand vasthield. Het was niet beangstigend zoals al het andere. Was hij hier de hele tijd geweest? Ik bleef in zijn ogen kijken, die mij zeiden dat hij zich over mij ontfermde. Ik wilde nog iets tegen hem zeggen, iets be-

langrijks, maar ik lag weer in mijn bed, alleen. Wat was er gebeurd? De voet van de reus drukte me omlaag in mijn bed
en Inga kwam binnen met de medicijnen en riep mijn naam.
Waarom riep ze? Ik kreeg druppels, wat betekende dat ik naar
het zachte zonder kleuren zou gaan en ik slikte ze door en
vroeg om meer en het ogenblik was voorbij en Conrad was er
nooit geweest.

Inga ging door naar Sara, die huilde, en Inga ging even bij
haar zitten, waarna ik in bed doodging zonder dat iemand
merkte hoe het duister zich op mij stortte. Ik nam een soort
afscheid en als ik ooit nog wakker zou worden, zou dat op een
heel andere plaats zijn.

HET LICHT. Het witte licht verblindde ons. En de geuren: aarde en iets zoets, dat zich ermee vermengde. We liepen over de droge bergen en luisterden naar de krekels. Conrads hand was droog en zacht, en hij hield mij vast en ik hem. We liepen over het pad en de hemel was rond als een kogel boven de zee daar beneden.

'De zee,' zei Conrad, 'dat is de zee, Anna.'

'Ja', zei ik. 'Dat is de zee.'

Want ik zag het. Zag het groenblauwe daar beneden dat zich uitstrekte tot de horizon. We liepen en het was alsof we in de hemel liepen, want de wolken lagen onder ons. Nu heb ik de zee gezien, dacht ik. Nu mag alles ophouden. Zo klein waren wij, vergeleken met de zee. Nietig, zonder ons ervan bewust te zijn. De lauwe wind streek langs mijn wangen, trok voorzichtig aan mijn kleren. We klommen omlaag, hielden ons aan kleine struiken vast om niet te vallen.

Omlaag, omlaag naar de glinsterende zee. Toen een brul achter ons: een vliegtuig dat zich vlak achter ons van de grond losmaakte en opsteeg. Het leek bijna of ik het kon aanraken als ik mijn best deed. Ik volgde de baan van het vliegtuig langs de hemel, de witte streep die het tekende in de lucht.

'Ze gaan dood', zei Conrad en ik knikte.

Ik kon het voor me zien. De doden die voorover in hun stoelen hingen terwijl het vliegtuig zijn tocht langs de hemel vervolgde. De dode piloten en de vracht goden die ons kwamen halen.

'Maar we zijn al hier', fluisterde ik. 'We zijn al hier.'

Conrad die daar beneden omlaagklom. Ik moest naar hem toe. Ik wilde dat de afstand tussen hem en mij zo klein mogelijk zou zijn, dus ik zette de ene voet achter de andere en trok de bladeren van de bosjes waardoor de sterke geur van de struiken me tegemoet kwam. Daar beneden: een klein kiezelstrand. Daar wilden we naartoe. Ik struikelde en gleed omlaag, viel een gat in mijn knie, maar ik trok me niets van het bloed aan, keek alleen maar naar Conrad en de zee daar beneden.

Het strand spreidde zich voor ons uit. Ik trok mijn kleren uit. Ik liep het water in en maakte mijn eerste zwemslag. En toen nog een. Tijdens de slagen strekte mijn lichaam zich uit en voelde ik het water overal op mijn huid, als een liefkozing. Het water hield mij vast en liet me los tegelijk. Achter mij hoorde ik Conrad. Hij zwom ook. Ik richtte mijn blik op een punt waar de zee de hemel raakte en waar ik naartoe wilde. Was ik gelukkig? Dat was ik zeker, terwijl mijn lichaam zich zwemslag na zwemslag uitstrekte. Ik was gelukkig terwijl Conrad daar achter mij was. Zo verschrikkelijk gelukkig.

Andere titels van uitgeverij World Editions

SJÓN
Uit de bek van de walvis
Vertaald uit het IJslands door Marcel Otten
Roman

MARINA STEPNOVA
De vrouwen van Lazarus
Vertaald uit het Russisch door Arie van der Ent
Roman

ANNE SWÄRD
Poolzomer
Vertaald uit het Zweeds door Edith Sybesma
Roman

COLM TÓIBÍN
Het testament van Maria
Vertaald uit het Engels door Anneke Bok
Roman

RENATE VAN DER ZEE
Prostitutie. De waarheid achter de Wallen
Pamflet